DES OUTILS POUR APPRENDRE

LOUISE VILLENEUVE

DES OUTILS
POUR APPRENDRE

RECONNAÎTRE ET DÉVELOPPER
SES CONNAISSANCES, SES HABILETÉS
ET SES ATTITUDES

ÉDITIONS
SAINT-MARTIN

Données de catalogage avant publication (Canada)

Villeneuve, Louise, 1948-

   Des outils pour apprendre, reconnaître et développer ses connaissances, ses habiletés et ses attitudes

   Comprend des références bibliographiques : p.

   ISBN 2-89035-178-5

   1. Apprentissage.   2. Intégration (Théorie de la connaissance).
3. Connaissance, Théorie de la.   4. Motivation en éducation.   I. Titre.

BF318.V54 1991   153.1'5   C92-096083-9

1ʳᵉ réimpression, 1ᵉʳ trimestre 1994

Maquette de la page couverture : Stéphane Olivier

Dépôt légal : Bibliothèque nationale du Québec, 4ᵉ trimestre 1991.

Imprimé au Canada.

Notre catalogue vous sera expédié sur demande :

Éditions Saint-Martin
4316, boul. Saint-Laurent, bureau 300
Montréal, Québec   H2W 1Z3
Tél. : (514) 845-1695
Téléc. : (514) 845-1930

PRÉFACE

Reconnaître et développer ses connaissances, ses habiletés et ses attitudes, titre ambitieux par l'ampleur de la tâche. En effet, il n'est pas simple de comprendre son apprentissage puisqu'il s'agit d'un processus tellement naturel qu'il échappe habituellement au champ de saisie immédiate de cette conscience. Il est vrai que, chaque jour, nous apprenons une foule de savoirs : connaissances, concepts, règles, lois et principes. Mais, ce que nous apprenons est si peu en regard de ce que nous pourrions apprendre si nous savions comment apprendre, si nous devenions conscients, de ce que nous effectuons comme gestes mentaux et opérations cognitives lorsqu'on apprend, nous aurions alors tendance à améliorer notre démarche pour enfin apprendre davantage et, peut-être même, apprendre à apprendre.

Titre bien choisi, cependant, et surtout adéquat par la mission que l'ouvrage semble poursuivre. En effet, l'auteure aura réussi à offrir au lecteur un mode d'investigation lui garantissant effectivement de saisir les jeux subtils d'interrogation entre les événements externes et les conditions internes, sources complémentaires mais essentielles, l'une et l'autre, pour qu'il y ait un apprentissage efficace. Le modèle ainsi développé dans cet ouvrage, bien documenté en références, est ce qu'on peut aisément appeler un modèle intégrateur de multiples sources. Il est aussi un modèle intégré parce que la théorie est présenté et implicitement active dans la pratique. D'autre part, la pratique et le choix d'outils didactiques pertinents se dessinent déjà sur le fond théorique. Belle alliance, mais nécessaire alliance ! Le meilleur praticien en formation éducative n'est-il pas celui qui a les deux pieds solidement ancrés dans la théorie ?

Cet ouvrage est ainsi et surtout une invitation au lecteur de s'approprier sa propre démarche d'apprentissage au point d'en maîtriser les tenants et les aboutissants avant même de se mobiliser personnellement aux fins d'aider tout apprenant à comprendre son apprentissage pour accéder à des apprentissages significatifs et durables. Il s'agit donc d'une invitation à un apprentissage expérientiel, vécu, ressenti, symbolisé faisant de soi l'espace-temps, le lien où ultimement, l'apprentissage est vraiment intégré. Ces véritables savoirs, savoir-faire et savoir-être, lorsqu'ils sont bien intégrés, ne viennent-ils pas élargir et consolider le répertoire possible d'adaptation de tout individu en lui permettant de se baser sur un référentiel qui, de par sa qualité et l'ampleur de sa quantité, lui garantira de meilleures chances prospectives de s'adapter adéquatement aux conditions variées de sa quotidienneté.

Voilà, me semble-t-il, **un livre qui vient à son heure, combler un vide** et **répondre à une nécessité** !

Un livre qui vient à son heure

Présentement les éducateurs, les cadres, les fonctionnaires, enfin presque tous les personnels de l'éducation, quelque soit l'ordre d'enseignement concerné, décrient le système, l'accusant de tous les maux et affirment qu'il est en crise. Nous n'avons jamais eu autant d'élèves vivant des troubles d'apprentissage et connaissant des retards pédagogiques. Malgré les services éducatifs, malgré la solution des cheminements particuliers, le nombre de décrocheurs n'a jamais été si élevé. L'heure a peut-être sonné pour donner aux enseignants les outils nécessaires pour mieux conteptualiser leur enseignement en veillant à bien exploiter un ensemble d'événements externes susceptibles de rejoindre au mieux les conditions internes de l'apprenant de manière à ce que ce dernier s'engage efficacement dans des apprentissages significatifs, durables et bien intégrés. Le temps ne serait-il pas venu de délaisser l'explication et la démonstration afin de privilégier une pédagogie expérientielle par laquelle l'élève peut s'approprier sa démarche d'apprentissage et entreprendre selon la compréhension qu'il a de ses conditions internes, ce qu'il lui faut améliorer dans sa démarche d'acquisition des savoirs.

...qui comble un vide

Dans le domaine de la formation des formateurs et des superviseurs, nous en sommes encore au stade des velléités. Nous considérons qu'il est capital de procéder à ce type de formation, mais, malheureusement, nous disposons de peu d'ouvrages pour réaliser adéquatement cette mission. Voilà enfin un ouvrage didactique susceptible d'offrir un cadre fonctionnel de formation en donnant aux éventuels formateurs de formateurs une boîte à outils, remarquablement bien garnie, pour entreprendre leur mission.

...qui répond à une nécessité

Ici au Québec, tout comme ailleurs dans la plupart des pays participants à l'UNESCO, il est devenu nécessaire de consacrer des ressources énormes pour former de bons formateurs. Peut-être que l'ouvrage de cette auteure sera une des pierres d'assise d'un tel projet.

Gilles Noiseux Ph.D.
Faculté des Sciences de l'éducation, Université Laval

REMERCIEMENTS

La réalisation de ce livre a requis la contribution de quelques personnes auxquelles je veux exprimer ma gratitude.

Je tiens à remercier plus précisément Gilles Noiseux, professeur au département de Counseling et orientation à l'Université Laval, qui a su m'accompagner tant dans les moments d'enthousiasme que d'anxiété. De m'avoir dirigé avec souplesse et compréhension afin de mener à terme une thèse de doctorat d'où provient ce livre.

Je remercie aussi toutes les personnes qui se sont engagées avec beaucoup d'authenticité et de confiance dans la rédaction de leur journal de bord. Le sérieux de leur témoignage m'a permis d'illustrer l'utilisation de certains outils pédagogiques suggérés dans cet ouvrage.

Je dois de vifs remerciements à Joanne Noël qui a assumé avec compétence la transcription de ce document. J'exprime aussi ma reconnaissance aux divers collaborateurs et collaboratrices qui ont contribué généreusement à la correction et aux suggestions de ce texte.

Enfin, j'exprime ma gratitude aux amis et amies qui, à de nombreuses reprises, m'ont aidé à maintenir un équilibre affectif, physique et intellectuel, grâce à leur présence, au cours de ce long cheminement.

Afin d'aider les intervenants et les apprenants à vivre plus adéquatement la relation pédagogique et éviter celle :
« D'un professeur chat qui ne comprend pas l'insuccès de son magnifique exposé sur l'art d'attraper les souris, auprès de ses élèves-lapins ».

INTRODUCTION

Ce livre a été écrit avec l'intention de chercher à comprendre ce qui se déroule pour chacun de nous lorsque nous intégrons un nouvel apprentissage.

Il s'adresse particulièrement à l'apprenant, aux éducateurs, formateurs et superviseurs, qui s'interrogent sur le processus d'apprentissage, sur le climat de confiance et le respect qui favorisent l'apprentissage et sur les outils pédagogiques qui facilitent l'acquisition de nouvelles connaissances, habiletés et attitudes.

On ne saurait séparer les connaissances des expériences lorsqu'il s'agit d'apprentissage significatif. Il nous faut souvent faire l'expérience pour saisir l'importance ou la signification de la connaissance enseignée. Car apprendre, c'est acquérir une représentation de la réalité à travers sa propre expérience.

La complexité de l'apprentissage laisse transparaître le doigté et le respect que suppose l'acte de l'intervenant. Couramment, nous disons que l'apprentissage est un phénomène naturel puisque depuis notre jeune âge nous apprenons sans cesse. Au début, on apprend à reconnaître ceux qui nous entourent ; on découvre, petit à petit, nos différentes parties du corps ; par la suite, on apprend à marcher, à courir, à lire, à faire du ski, à réparer un objet quelconque.

Mais encore qu'en est-il vraiment du phénomène de l'apprentissage ?

Ce qui m'a amenée à étudier davantage ce phénomène, c'est le fait que pour vivre en harmonie avec moi-même et mon environnement, j'ai appris, tout comme vous, à me laisser aller à ma curiosité, au plaisir de découvrir, à vivre l'anxiété d'un changement, à me sentir habile, adéquate ; j'ai dû faire confiance aux différents éducateurs, à écouter mon goût pour la lecture et la recherche de réponses. Longtemps, il a subsisté un doute dans ma tête sur le fait que l'apprentissage était un phénomène naturel. Sûrement que ma méprise sur le sens des mots y était pour beaucoup. J'ai associé inconsciemment le mot « naturel » au mot « facile » et à l'expression « ça se fait tout seul ».

Il va sans dire que la réalité m'a enseigné tout autre chose et que cela ne s'effectuait pas aussi facilement que je me le représentais par le biais de l'association.

Toujours est-il que mon expérience d'apprenante, de formateure, d'intervenante m'a amenée à m'interroger sur ce qui se passe dans la tête de celui qui apprend. Pourquoi certains apprennent et d'autres pas ? Comment puis-je l'aider comme intervenante ? Sait-il qu'il sait mieux que moi comment il préfère apprendre ? Connaît-il le « lieu » en lui qui sait comment faire les choses ?

Chercher ce qui se passe en nous lorsque nous apprenons a été pour moi une façon de concrétiser ma croyance en la valeur de l'être apprenant, du bien-fondé de l'intervention qui se veut parfois directe et parfois discrète de la part du formateur, ainsi que la préoccupation de la qualité et de la quantité du contenu de l'objet de travail.

Cet ouvrage propose donc une double perspective. Celle de découvrir à la fois le plaisir et l'anxiété ainsi que le long cheminement qui mènent l'apprenant vers l'intégration. Puis, celle de créer dans son environnement le respect, la confiance et les outils pédagogiques nécessaires pour faciliter cette intégration.

Le lecteur, qui cherche à augmenter sa compréhension du processus d'intégration, trouvera dans cette publication la description des différentes phases du processus, les difficultés de parcours que rencontre l'apprenant et les outils pédagogiques mis à la disposition de l'intervenant et de l'apprenant pour favoriser l'intégration des apprentissages.

Le **premier chapitre** aborde le concept d'apprentissage et les caractéristiques du processus éducatif dans un contexte où l'apprentissage se veut significatif pour la personne, où l'expérience que vit l'apprenant doit tenir compte de ses expériences antérieures et ultérieures et correspondre à une interaction situationnelle entre les états subjectifs du sujet et les conditions objectives de l'environnement.

Le **deuxième chapitre**, relatif au processus d'intégration, décrit les cinq phases du processus ainsi que les caractéristiques qui constituent ledit processus d'intégration des apprentissages.

La complexité du processus d'intégration sera explicitée dans le **troisième chapitre** par le biais du modèle de traitement de l'information. Pour effectuer la boucle du processus d'intégration, cela nécessite une interaction constante entre ce qui se passe dans la tête de l'apprenant et l'information fournie par l'environnement.

Le **quatrième chapitre** cherche à démontrer d'une part, les conditions internes du processus d'intégration, à l'aide d'un exemple fictif et de l'expérience personnelle du lecteur, et d'autre part, il cherche à exposer les différentes théories qui sous-tendent l'énoncé des conditions internes suivant les cinq phases du processus.

Le rôle de l'intervenant en interaction avec l'apprenant et les différents outils pédagogiques utilisés pour favoriser le processus d'intégration forment l'ensemble des indicateurs des événements externes exposés dans le **cinquième chapitre**.

Le **sixième chapitre** propose un certain nombre d'outils pour l'intervenant. Les outils se veulent un support à l'intervention tout au cours des cinq phases du processus d'intégration.

La **conclusion** mentionne certains éléments qui valident le modèle proposé et les conditions pour sa réalisation. L'auteure y va de sa touche personnelle et nous souligne l'importance de se connaître comme être apprenant. D'être celui qui commence et qui ne s'arrête jamais.

1

LE PROCESSUS D'APPRENTISSAGE

Avant d'aborder le concept d'apprentissage et le processus éducatif mentionnés dans ce chapitre, il est nécessaire de définir davantage les principaux acteurs dont il est question tout au cours de cette étude : soit l'apprenant et l'éducateur, le formateur ou l'intervenant.

Principaux acteurs

Sans vouloir inventer de nouvelles définitions[1] le terme apprenant a été emprunté aux auteurs Bloch et Clouzot (1981). En effet pour eux : « Apprendre c'est étymologiquement saisir, s'approprier (la connaissance). **L'apprenant**, c'est celui qui saisit, au moment où il saisit ».

Invariablement, au cours de ce texte, les termes éducateur, formateur et intervenant sont utilisés. Le terme éducateur est utilisé au sens élargi, tel qu'employé par Paquette (1985). Le terme **éducateur** s'applique à tous ceux qui ont un rôle de formation et de développement par rapport à d'autres personnes, par exemple un parent, un moniteur de loisirs, un enseignant, un intervenant (psychologue, animateur).

Le terme intervenant découle de la définition de l'intervention dans le contexte éducatif, tel qu'empruntée par Paquette (1985). Intervenir, c'est vouloir influencer dans une certaine mesure, la croissance et le développement de ceux avec qui nous entrons en relation. Ainsi, **l'intervenant** est celui qui, dans un contexte donné, décide d'agir pour influencer un autre individu. L'acte volontaire de l'intervenant comporte une recherche d'effets. Pour ce faire, il utilise certaines stratégies et outils pour influencer le développement de l'apprenant[2]. Le terme formateur est généralement utilisé pour désigner toute personne ayant pour rôle d'animer, guider et conseiller un apprenant[3]. Le formateur n'est pas nécessairement un enseignant. Il est souvent celui qui, par sa compétence et son expérience professionnelle, est appelé à organiser et à donner une activité de formation[4].

Suivant ces définitions, les deux principaux acteurs sont l'intervenant et l'apprenant dont l'un détient une compétence, une expertise et l'autre désire apprendre davantage de choses. Ensemble, ils sont appelés à vivre une relation par le biais de l'apprentissage et du processus éducatif.

Apprentissage et processus éducatif

La plupart des changements, qui s'opèrent chez l'être humain, sont dus à l'apprentissage et se traduisent par l'acquisition de connaissances, d'habiletés et d'attitudes constamment utilisées dans les activités quotidiennes.

Dans le contexte d'apprentissage, l'apprenant et l'éducateur poursuivent une démarche où l'accent est mis sur le continuum du savoir et la nature de l'apprentissage, plutôt que sur les matières et les méthodes d'instruction. En conséquence, le concept d'apprentissage peut s'énoncer à partir de trois définitions qui ont influencé celle proposée dans cette étude.

Soit :

L'apprentissage consiste à saisir les rapports de causalité qui existent entre les choses et à savoir utiliser cette connaissance pour apprendre davantage de choses[5].

D'après Smith :

L'apprentissage consiste en une interaction entre le monde qui nous entoure et la théorie du monde que nous avons dans notre tête[6].

Puis dans la même veine,

Le processus d'apprentissage serait l'ensemble des procédés utilisés pour transformer ce que nous savons et ce que nous sommes vers une plus grande différenciation, vers plus d'ordre et plus d'organisation. Dit autrement, le processus d'apprentissage, c'est ce qui se passe à l'intérieur de la tête d'une personne, c'est ce qui fait que la personne aura des comportements différents[7].

L'apprentissage est donc considéré comme un mouvement évolutif, c'est-à-dire un processus. L'analyse de ce processus se situe dans le cadre du processus éducatif, à savoir comment se produit le mouvement évolutif et interactif entre l'objet d'apprentissage, l'apprenant et l'intervenant.

Définitions

L'amalgame des énoncés précédents permet de définir plus précisément l'apprentissage et le processus éducatif qui sont implicitement inclus dans la définition du processus d'intégration des apprentissages proposée dans le prochain chapitre.

La dynamique créée par les processus éducatif et d'apprentissage incite le formateur à adopter un style d'intervention qui accepte les remises en question, d'abord de lui-même, puis des apprenants. De cette façon, il ne détient pas « le pouvoir », il le partage par une analyse conjointe des besoins et des préoccupations des apprenants. Cette démarche heuristique incite les acteurs à renoncer aux réponses sanctionnées à l'avance et aux résultats garantis. Car, c'est dans la poursuite du processus que se précise graduellement les réponses et que se dévoilent les résultats.

L'APPRENTISSAGE

L'apprentissage, c'est la réorganisation interne des relations exis-tantes entre l'environnement et ce qui est inscrit en nous.

- La *réorganisation interne* consiste en la reconnaissance d'un ou des éléments significatifs qui se présente sous forme d'une prise de conscience, lorsque l'apprenant :

  1. fait appel à sa connaissance intérieure,

  2. fait sienne ses propres découvertes,

  3. va vers une plus grande différenciation, plus d'organisation, plus d'articulation, plus de systématisation, donc vers un changement.

- Les *relations existantes* c'est une interaction avec son environ-nement que l'apprenant observe, crée, transforme, interroge. Il élargit ainsi un champ perceptuel, sa pensée.

- *Au contact avec son environnement*, l'individu apprend graduel-lement à s'identifier, se définir, se différencier.

- *Ce qui est inscrit en nous* concerne les expériences personnel-les, les connaissances que nous faisons nôtres.

  En somme la réorganisation interne nécessite un changement, la création d'une représentation mentale sous forme de con-naissances, d'habiletés et d'attitudes.

LE PROCESSUS ÉDUCATIF

Le processus éducatif se définit comme étant un mouvement évolutif et intégré entre l'objet d'apprentissage, l'apprenant et l'intervenant.

Le processus vise à assister l'individu dans ses apprentissages soit au niveau de sa recherche de sens, de son besoin de discerner et dans le déclenchement de ses prises de conscience de la tâche à accomplir. Étudié sous l'angle d'un mouvement intégré et évolutif entre l'objet d'apprentissage (continuité des connaissances), *l'apprenant* (états subjectifs) *et l'intervenant* (conditions de l'environnement), le processus éducatif comprend deux principes indissociables.

1. La continuité signifie que l'expérience qu'effectue l'individu doit tenir compte des expériences antérieures et celles à acquérir.

2. L'interaction situationnelle signifie que toute expérience doit tenir compte des états subjectifs (besoins, attentes, aptitudes) et des conditions objectives de l'environnement physique (lieu, climat) et social de l'apprenant.

Tenir compte des facteurs internes et externes, c'est adopter les principes suivants :

1. L'apprentissage doit s'effectuer au rythme de chacun, de concert avec sa motivation et la disponibilité de l'individu.

2. L'apprentissage devient davantage significatif lorsqu'il y a un lien entre les connaissances antérieures et celles à acquérir.

3. La dynamique du processus éducatif ne possède pas toutes les réponses et s'inscrit dans une démarche où existe une confrontation des savoirs.

4. Le style d'intervention adopté par l'éducateur doit permettre l'analyse conjointe des besoins et des préoccupations.

TABLEAU 1
DIFFÉRENTS MODÈLES COMPARÉS ET LE MODÈLE SUGGÉRÉ

Steinaker et Bell	Gagné	Garneau et Larivey	Gendlin	Processus d'intégration
1. Exposition : sensoriel réponse disponibilité	1. Motivation 2. Appréhension		1. Référent direct	1. Disponibilité et motivation : celle déjà existante, celle à créer 2. Exposition : sensoriel, émotion
2. Participation : Représentation – secrète – ouverte	3. Acquisition	1. Émergence 2. Immersion 3. Développement		3. Mouvement de l'expérience : référent direct ou représentation symbolique ou mentale
3. Identification : Renforcement Émotif Personnel Partage	4. Rétention	4. Prise de signification	2. Déploiement 3. Application globale	4. Symbolisation : la prise de signification
4. Intériorisation : Expansion Intrinsèque	5. Rappel		4. Mouvement du référent	5. L'action expressive : – communication et partage de l'expérience – transfert de l'expérience – rétroaction
5. Propagation : Informatif Homélitique	6. Généralisation 7. Performance 8. Feed-back	5. Action unifiante 5. Pré-émergence		

Notes

1. Bloch, Olivier, Clouzot, Annie, *Apprendre autrement*, Éd. d'Organisation, Paris, 1981.

2. Paquette, Claude, *Intervenir avec cohérence*, Éd. Québec-Amérique, Montréal, 1985, pp. 43-44.

3. Legendre, Renald, *Dictionnaire Actuel de l'éducation*, Éd. Larousse, Paris-Montréal, 1988, p. 279.

4. Fernandez, Julio, *Réussir une activité de formation*, Éd. Saint-Martin, Montréal, 1988, p. 25.

5. Bernard, Huguette, Cyr, Jean-Marc, Fontaine, France, *L'apprentissage expérientiel*, Service pédagogique de l'Université de Montréal, 1981, p. 19.

6. Smith, Frank, *La compréhension de l'apprentissage*, Éd. HRW, Montréal, 1979, p. 10.

7. Noiseux, Gilles, *Modélisation de la dynamique d'apprentissage*, texte inédit, janvier 1984, p. 2.

2

LE PROCESSUS D'INTÉGRATION DES APPRENTISSAGES

Dans le contexte d'enseignement et de formation il est parfois difficile de créer le mouvement évolutif et intégré. Ayant trop longtemps compartimenté le savoir et généré un clivage important entre l'enseignement pratique et théorique que l'on oublie d'enseigner à l'apprenant, comment on pense, comment on fait.

Toutefois l'apprentissage peut devenir significatif et s'inscrire dans un mouvement évolutif et intégré si l'on tient compte de la dimension intérieure de l'apprenant et de son environnement. Cette interaction entre lui et son environnement correspond au déroulement de l'expérience d'apprendre — qui est implicitement inclus dans le processus d'intégration.

À cette étape-ci, la définition du processus d'intégration se veut à la fois globale et succincte. Le processus d'intégration est considéré comme une **démarche globalisante du processus d'apprentissage et de la réalisation de soi**.

Plusieurs auteurs étudiés, tels Piaget (1964), Gagné (1976), Steinaker et Bell (1979), Gendlin (1962), Garneau et Larivey (1979), considèrent que dans tout apprentissage l'être humain doit être totalement engagé, que les aspects cognitifs, affectifs et psychomoteurs du comportement sont indissociables et que les résultats du processus permettent à la personne d'être davantage en possession d'elle-même par une appropriation accrue de ses expériences, de ses connaissances et de ses choix.

Sous l'influence de ces différents auteurs, certains postulats concernant l'apprentissage se dégagent. Ainsi, le modèle proposé dans cette étude, en arrive à postuler premièrement, que l'apprenant est le seul qui puisse savoir ce qui se passe en lui. Deuxièmement, qu'il est le seul à pouvoir acheminer ses expériences vers un dégagement des significations. Troisièmement, que l'intervenant peut uniquement faciliter, encourager, stimuler le cheminement interne de l'apprenant en l'aidant (avec ou sans outils pédagogiques) à faire le lien entre le vécu et les éléments théoriques.

C'est grâce aux modèles et aux théories de l'apprentissage et du développement personnel, présentés par les différents auteurs ci-haut mentionnés et décrits en annexe, que nous pourrons mieux cerner le processus d'intégration et ses différentes phases[1].

Définition

C'est le processus par lequel s'enchaînent une série de constatations, de synthèses et de significations successives, symbolisées et exprimées dans des termes qui renvoient au savoir, au savoir-faire et au savoir-être.

Certains des concepts utilisés dans cette définition méritent d'être explicités davantage. Pour ce faire, ils sont fragmentés comme suit.

▪ C'est le processus

Pris dans son sens général, le terme processus signifie « l'évolution et les étapes de l'évolution d'un phénomène ou d'un organisme dans une direction déterminée[2] ». Plus précisément, en ce qui a trait à l'apprentissage, c'est l'évolution des phénomènes cognitifs, affectifs et psychomoteurs dans laquelle l'apprenant cherche à développer son potentiel par le biais de ses connaissances, de ses habiletés et de ses attitudes.

Le modèle suggéré, le processus d'intégration des apprentissages, s'inscrit dans un processus circulaire où la dernière phase du cycle constitue un premier pas vers le début d'un nouveau cycle partiellement relié au précédent. Ce mouvement circulaire correspond à l'aspect continu de tout apprentissage où les nouvelles expériences ou connaissances se joignent aux anciennes pour former un nouvel ensemble.

▪ Par lequel s'enchaînent

Ces phases s'enchaînent les unes aux les autres dans une perspective holistique et unifiante. C'est d'ailleurs l'enchaînement de chacune des phases du processus qui amène l'individu vers un dégagement des significations de son expérience. Ces significations nouvelles et ces changements proviennent directement de l'intérieur de l'expérience. Les significations n'ont rien d'interprétatif, de déductif ou de théorique ; elles s'imposent de l'intérieur même de la subjectivité de la personne[3].

■ Série de constatations et de synthèses

C'est à l'aide des observations faites sur son expérience (sensations corporelles et émotions) que l'individu peut dégager une analyse, une synthèse, afin que survienne la signification ou le sens de cette expérience qu'il pourra par la suite exprimer.

C'est en effet une série d'éléments qui permet à l'individu de donner un sens à son expérience. Le dégagement de la signification est de première importance pour tous les auteurs déjà mentionnés, car sans cela, il n'y a pas d'acquisition ou de modification du savoir, savoir-faire, savoir-être. L'expression de cette signification demeure aussi une phase importante, car c'est la seule façon de compléter tout le processus d'intégration et d'être en communication avec l'environnement.

■ Dans les termes qui renvoient aux savoirs

L'apprentissage au niveau du savoir est présent lorsqu'il y a modification des *connaissances*, soit par acquisition et/ou réorganisation, de connaissances nouvelles ou déjà acquises. Le sujet s'exprime dans les termes suivants : « je comprends », « j'ai appris », « j'ai découvert », « je connais », etc.

Au niveau du savoir-faire, l'apprentissage se définit comme étant « une modification dans le sens d'une amélioration des *habiletés*, soit par acquisition, développement, d'habiletés nouvelles ou déjà acquises ». Le sujet utilise les termes : « je suis capable » de me servir, d'utiliser, d'élaborer, de réaliser, de faire, etc.

L'apprentissage au niveau du savoir-être existe lorsque s'effectue une modification dans le sens d'une amélioration de la *conscience* de ses opinions, croyances, sentiments, perceptions, et de leur *influence sur les attitudes*. Le sujet s'exprime alors dans les termes : « je pense que », « j'ai pris conscience de », « je suis persuadé que ». En somme, le savoir-être correspond à tout ce que nous savons être sur un plan personnel : attitudes, besoins, valeurs, etc.[4]

Ces trois niveaux de savoirs sont le résultat de l'apprentissage et correspond en fait à « apprendre à apprendre ». Ainsi, l'individu est appelé à apprendre une manière d'être au monde et à participer à la démarche globalisante de son processus d'apprentissage et à son actualisation.

Phases du processus d'intégration

Le processus d'intégration se caractérise par l'évolution des phénomènes cognitifs, affectifs et psychomoteurs dans une direction donnée, celle de la maîtrise des différents savoirs tels qu'ils peuvent être symbolisés ou réinvestis dans des cycles subséquents d'apprentissage.

L'enchaînement des étapes par lesquelles s'effectue le processus d'intégration unifie et rend cohérente toute la démarche d'apprentissage. Dans le but de la clarifier dans ses étapes constitutives et successives, mais aussi de manière à discriminer la fonctionnalité de chacune, cinq phases ont été retenues[5].

▪ Première phase : disponibilité et motivation

Cette première phase met en action le processus d'intégration. Elle favorise la mise en place de toute la démarche de l'individu dans sa recherche de sens à l'égard de ses expériences et de ses connaissances.

La disponibilité et la motivation sont des éléments essentiels à tout processus d'intégration. *Elles sont le moteur ou le facteur énergétique nécessaire pour enclencher le mouvement et la poursuite des autres phases du processus d'intégration.* Ce sont des principes actifs qui incitent l'apprenant à prendre une direction.

Explorer les attitudes

Dans le but de mobiliser cette motivation et cette disponibilité, il s'avère nécessaire d'explorer davantage l'attitude qu'adopte le sujet à l'égard de son apprentissage. En effet, lorsque s'effectue un nouvel apprentissage, des expériences antérieures plus ou moins intégrées peuvent influencer ou teinter l'expérience actuelle. Parfois, l'anxiété créée par une nouvelle expérience est trop grande pour favoriser la disponibilité de la personne. Ainsi, être conscient du ressenti, de ce qui habite l'apprenant, permet de s'assurer de sa disponibilité à l'égard de son apprentissage.

Identifier les besoins et les objectifs

Tout en tenant compte des expériences antérieures et de l'anxiété de l'apprenant, il s'avère nécessaire d'engager celui-ci vers la réalisation de ses objectifs. C'est en connaissant ses intentions immédiates et celles anticipées qu'il parvient à formuler les objectifs à atteindre. De cette

FIGURE 1
PROCESSUS D'INTÉGRATION DES APPRENTISSAGES

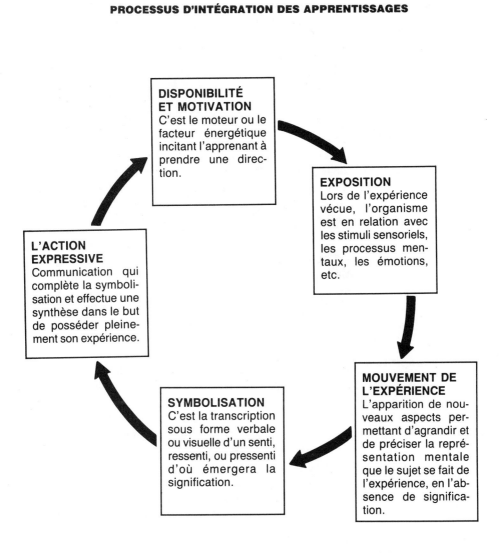

DISPONIBILITÉ ET MOTIVATION
C'est le moteur ou le facteur énergétique incitant l'apprenant à prendre une direction.

EXPOSITION
Lors de l'expérience vécue, l'organisme est en relation avec les stimuli sensoriels, les processus mentaux, les émotions, etc.

L'ACTION EXPRESSIVE
Communication qui complète la symbolisation et effectue une synthèse dans le but de posséder pleinement son expérience.

MOUVEMENT DE L'EXPÉRIENCE
L'apparition de nouveaux aspects permettant d'agrandir et de préciser la représentation mentale que le sujet se fait de l'expérience, en l'absence de signification.

SYMBOLISATION
C'est la transcription sous forme verbale ou visuelle d'un senti, ressenti, ou pressenti d'où émergera la signification.

façon, la motivation et la disponibilité sont suscitées et peuvent engendrer par la suite des comportements qui permettent à l'individu de diriger ses énergies vers la réalisation de son but.

Établir une relation de confiance

Pour ce faire, une relation de confiance et d'autorité entre l'apprenant et l'intervenant devient nécessaire pour favoriser la motivation et la disponibilité à cette première phase du processus.

Le mot « autorité » est souvent relié aux pouvoirs de punition, de récompense, de référence et au sentiment de dépendance. Chaque individu entretient des sentiments négatifs, positifs et ambivalents à l'égard de cette notion d'autorité. Chacun fonctionne sur un mode mixte de dépendance et d'indépendance et, suivant ces différents états, on perçoit tour à tour l'autorité comme contrôlante, aidante, etc. Actuellement, le vocabulaire est tronqué, en remplaçant les mots « autorité » par « pouvoir » et « autoritaire » par « directif ».

Cependant, si on conçoit l'apprentissage comme un moment de partage, l'intervenant reconnaît alors à l'apprenant le droit de refuser l'état figé, de le contester, de s'opposer à lui. En reconnaissant ces droits, l'éducateur ne nie pas son pouvoir, mais il fait en sorte qu'il ne soit pas le seul à le détenir. Le pouvoir, c'est le droit d'agir et de pouvoir dire : « Je peux », « Je suis capable de ».

Créer un climat propice à l'apprentissage

La confiance, la liberté d'expression et d'action sont des éléments qui favorisent la perception de l'apprenant à l'égard du rôle d'autorité de l'intervenant. Ces éléments favorisent non seulement un climat propice à l'apprentissage, mais aussi la disponibilité intérieure et la motivation de la personne. Le formateur peut empêcher le cheminement de celui-ci en le gavant de connaissances ou en minimisant les difficultés d'apprentissage. Car : « Celui qui est réceptif arrive toujours pile. Ceux qui nous aiment vraiment savent nous pousser quand nous sommes prêts à voler[6] ».

▪ Deuxième phase : exposition

Du fait que l'apprenant soit motivé à poursuivre l'expérience, il est amené à vivre des sensations d'ordre physique, émotionnel, intellectuel, reliées au but qu'il poursuit. Ces sensations deviennent des indices précieux pour l'apprentissage en cours.

La phase exposition constitue une expérience vécue par l'apprenant dans laquelle l'organisme (le corps, le mental, l'émotionnel) est mis en contact avec la réalité à apprendre. L'organisme demeure en relation avec les stimuli sensoriels, les divers processus mentaux et les émotions.

Identifier les écarts de perception

À cet effet, William Glasser[7] amène un élément important lorsqu'il parle du « signal d'erreur » (signal chimique ou électrique se produisant dans le cerveau afin d'activer le système de comportement). Ce signal se déclenche lorsque l'individu perçoit une erreur ou un écart entre la perception inscrite dans sa tête et la perception de ce qu'il obtient (appelé erreur perceptive). En somme, il lui suffit d'être attentif aux signaux de son organisme et de percevoir ces indices comme des informations précises sur son état actuel.

Gendlin[8] mentionne un phénomène semblable quand il parle de l'acte intérieur. Il le décrit comme une aptitude à se centrer, à porter attention à ce qui ralentit, inhibe ou empêche la personne d'agir et de progresser. Il propose donc une certaine structure de l'expérience du fait que par la sensation corporelle, tout individu peut accéder à la connaissance.

Soutenir l'expérience

Dans un contexte d'apprentissage, l'apprenant est engagé dans des activités telles que voir, entendre, sentir et dans lesquelles il se doit d'être attentif à ses réactions. Ainsi, l'expérience vécue passe avant tout par son organisme qui est mis en contact avec la réalité à apprendre. Cela implique de la part de l'intervenant une observation des réactions positives ou négatives de l'apprenant, de son profil d'apprentissage individuel et des conditions d'apprentissage correspondant à ce profil. Cela a pour but de dépasser le rapport initial, de le supporter dans la conscience (sensation, émotion, etc.) de l'expérience en cours et de susciter chez le sujet le désir de participer davantage à son processus d'intégration.

■ Troisième phase : mouvement de l'expérience

Le mouvement de l'expérience, se définit comme étant *l'apparition de nouveaux aspects expérientiels permettant d'élargir et de préciser la connaissance du problème ou la représentation mentale que le sujet se fait de l'expérience, avant que la signification ait pris place.*

Modifier ou créer la représentation

À cette phase, l'apprenant augmente son intérêt, en cherchant de façon active. D'une part, il est réceptif à son ressenti et, d'autre part, il cherche à découvrir la signification de cette expérience. Ce processus est d'abord une représentation interne de l'image (référent direct) que l'individu a en tête, suivie d'une modification, spécialement quand il cherche à clarifier et à relier les diverses significations.

Dans un contexte d'apprentissage, c'est en acceptant de rester en contact avec l'image (le référent direct) que l'apprenant se fait de lui-même ou de l'élément à apprendre, qu'il peut modifier cette image en la laissant prendre toutes les formes nécessaires jusqu'à ce que l'une d'elles lui apporte une signification toute spéciale qui sera en accord avec son ressenti.

Le rôle du formateur consiste à encourager l'individu à poursuivre la démarche et à accepter, pour l'immédiat, de ne pas comprendre le sens, puis à l'inviter à demeurer en contact avec ses émotions, à laisser venir les images malgré la confusion.

S'abandonner à l'expérience

À cette phase, l'apprenant a besoin de s'abandonner en toute confiance au processus d'apprentissage et à l'intervenant. Même si au préalable, il a acquis la confiance de l'éducateur, cela ne va pas sans une certaine résistance puisque ses schèmes de référence sont en état de modification. Il lui faut donc faire confiance au processus en cours, à la compétence de l'intervenant et à la possibilité que de nouvelles découvertes l'aident à acquérir un nouveau savoir, savoir-faire et savoir-être.

Étant donné que l'apprenant commence à explorer, à manipuler, à colliger, à discuter des données disponibles et à faire certaines inférences entre celles-ci et ce qui est déjà connu par l'entremise de réponses symboliques ou figuratives, l'intervenant est amené à consacrer une place primordiale à l'élaboration et à l'expression de ce référent ou à cette représentation symbolique.

Pour ce faire, il s'avère nécessaire que le formateur ait accès aux images internes de l'apprenant face à une nouvelle expérience. Ces images permettent d'élargir et de préciser l'idée ou la représentation symbolique que ce dernier se fait de l'expérience en cours et spécialement de l'image qu'il se fait de lui-même en situation d'apprentissage.

■ Quatrième phase : symbolisation

Cette phase est le point central dans l'énoncé du processus d'intégration. C'est une phase de prise de signification et de conceptualisation. Elle devient le déclencheur de la formulation de l'expérience et des actions à entreprendre pour solutionner le problème vécu. C'est graduellement, après avoir centré son attention sur le référent directement ressenti, que l'apprenant en arrive au dégagement du sens de l'expérience.

La symbolisation est la transposition ou plus précisément la traduction sous forme verbale ou visuelle d'un senti, d'un ressenti, ou d'un pressenti d'où émerge la signification.

Cette prise de conscience s'effectue après une phase d'obscurité puis, graduellement, la signification[9] apparaît. À ce moment-là, il se produit une ouverture, un déclic où le sujet ressent profondément qu'il a compris quelque chose d'important. Il s'en suit une baisse de tension physiologique et le sujet sait qu'un changement réel se produit même si la difficulté n'est pas complètement résolue.

Je le savais depuis longtemps, mais ce n'est qu'à présent que j'en ai fait l'expérience. Maintenant, j'en suis instruit, je le sais non seulement par ma mémoire, mais par mes yeux, par mon cœur, par mon estomac. Et c'est tant mieux pour moi[10].

Permettre un climat d'intimité

Ainsi, cette expérience est non seulement intellectuelle, physique ou émotive ; elle est tout cela. L'organisme travaille dans une unité, un ordre, une organisation à travers les différents niveaux de l'expérience. Cette phase nécessite pour l'individu beaucoup d'intimité avec lui-même. Il est le seul à pouvoir procéder. Pour ce faire, il peut expérimenter à l'aide d'application, d'association, de classification, de catégorisation et d'évaluation des données. Même si l'apprenant demeure l'acteur principal, il ne requiert pas moins de la part de l'intervenant une présence discrète, un respect de l'acte intime de l'apprenant et une sensibilisation vis-à-vis des besoins de celui-ci dans toutes les dimensions de l'expérience.

■ Cinquième phase : action expressive

L'action expressive se définit comme *la communication et le partage de l'expérience par lesquels l'individu cherche, en prenant appui sur sa symbolisation de l'expérience, à dégager des significations en termes de savoir, savoir-faire et savoir-être.*

Consolider et généraliser l'expérience

À cette phase, l'apprenant clarifie et fait l'inventaire de son expérience afin d'en arriver à s'articuler et à nommer son vécu. Il passe ainsi du plan émotif au plan cognitif et permet que l'apprentissage ait lieu.

L'expérience symbolisée a pour effet de consolider le mouvement interne, de se généraliser sur l'ensemble des apprentissages et de s'étendre sur la vie personnelle de l'individu.

[...] L'expérience elle-même, aussi riche soit-elle, est difficilement communicable, transmissible s'il n'existe pas un langage, un vocabulaire des concepts susceptibles d'en rendre compte. C'est ce langage qui permet à l'apprenant de prendre un recul par rapport à l'expérience, de l'analyser pour aller plus loin, d'échanger avec ses compagnons de route, et éventuellement d'induire une expérience semblable chez d'autres, de transmettre ce qu'il a appris[11].

Pour ce faire, l'apprenant doit prendre davantage possession de ses connaissances et des expériences, et s'approprier graduellement les nouvelles acquisitions.

Notes

1. Le lecteur pourra consulter en annexe les différents auteurs qui ont abordé indirectement la question de l'intégration des apprentissages. Les auteurs présentés au tableau 1 ont influencé le modèle suggéré dans ce chapitre.

2. Mucchielli, Arlette et Roger, *Lexique de la psychologie*, Entreprise moderne d'Édition, ESF, Paris, 1969, p. 134.

3. Garneau, Jean, Larivey, Michelle, *L'auto-développement*, RED inc., Montréal, 1979, p. 31.

4. Ces notions sont empruntées au document de Cantin, Gabrielle, *Une méthode d'intégration des apprentissages*, Faculté des Sciences de l'Éducation, Université de Montréal, 1979, p. 12.

5. L'appellation des cinq phases du processus d'intégration des apprentissages s'inspire principalement des modèles et des concepts des auteurs déjà cités ainsi que des observations et des témoignages recueillis par l'auteure.

6. Gaboury, Placide, *L'homme qui commence*, Éd. de Mortagne, Boucherville, 1981.

7. Glasser, William, *État d'esprit*, Éd. Le Jour, 1982, 289 p.

8. Gendlin, Eugène, *Au centre de soi*, Éd. Le Jour, 1982, 214 p.

9. Le terme signification se définit comme la valeur et le sens attribués aux éléments d'un vécu.

10. Hesse, Herman, *Siddhartha*, Grasset, Coll. Livre de poche, 1950, p. 148.

11. Clouzot, Bloch, *op.cit.*, p. 97.

3

LA COMPLEXITÉ DU PROCESSUS D'APPRENTISSAGE

Lors de la présentation des différentes phases du processus d'intégration des apprentissages, il a été décrit à quelques reprises l'interaction entre ce qui se passe dans la tête de l'apprenant et l'action de
l'intervenant. Pour illustrer cette interaction, le modèle élaboré par
Gagné (1976) et Noiseux (1984) permet de comprendre ce que l'apprenant vit lorsqu'il cherche à acquérir de nouveaux savoirs[1].

Lien entre les processus interne et externe

Ainsi, lorsqu'une information parvient à l'apprenant, celui-ci réagit consciemment ou inconsciemment à certains éléments comme le ton de
voix, le cadre matériel, le contenu du message et le climat psychologique dans lequel se déroule l'apprentissage. Tous ces éléments combinés à la disponibilité du sujet feront en sorte que l'information
provenant de l'extérieur sera ou non accueillie par l'individu.

Comme tel, le traitement de l'information n'est pas directement
observable puisque l'ensemble du phénomène se déroule dans la tête
de l'apprenant. Cependant, les changements de comportements qui
résultent de l'expérience permettent d'observer certains effets dans son
quotidien.

Se familiariser et comprendre en profondeur le traitement de l'information s'avère important puisque ce modèle permet de faire le lien entre
les processus interne et externe de tout apprentissage[2].

Interaction de l'apprenant avec l'environnement

Même si dans un contexte d'apprentissage formel, l'interaction se déroule principalement entre l'apprenant et l'intervenant, il n'en demeure pas moins que l'environnement de l'apprenant ne se limite pas seulement au contexte d'apprentissage formel. En effet, nous sommes tous façonnés par notre éducation familiale, sociale, etc. Le conditionnement par l'environnement atteint le système nerveux et affecte l'état mental et le processus physiologique de chacun de nous. Notre conscience ne perçoit pas tout l'ensemble des influences et des interactions entre l'individu et son environnement. Cependant ces perceptions sont enregistrées à notre insu[3].

Nos différentes réactions à l'égard de l'environnement sont individualisées et originales, quoique conformistes à des degrés divers et dans des proportions diverses. Ces différentes réponses aux mêmes stimuli sont dues à une combinaison complexe de notre passé et de notre personnalité ainsi qu'à une soumission à la pression normative de la société.

Parcours de l'information

Afin d'acquérir une représentation mentale de la figure 2, un court exercice est proposé au lecteur. Cela lui permettra de suivre le parcours de l'information et de saisir l'idée que celle-ci se transforme de multiples façons lorsqu'elle passe d'une structure à l'autre.

EXERCICE

QUESTION : D'après vous que signifie le mot **QUADRILLION ?**

Comme lecteur de l'exercice, la vue devient la principale porte d'entrée du système sensoriel. À la lecture, peut-être avez-vous éprouvé une certaine curiosité ou un malaise face à ce genre d'exercice. Suivant la sensation éprouvée vos récepteurs ou canaux sensoriels se sont fermés ou ouverts eu égard à l'exercice proposé.

Les récepteurs

D'après la figure 2, les **récepteurs** ou les canaux sensoriels (ouïe, vue, toucher, odorat) servent de porte d'entrée du système et l'information venant de l'extérieur parvient au cerveau. Ainsi, le cerveau traite uniquement les informations qui parviennent par les récepteurs ou canaux

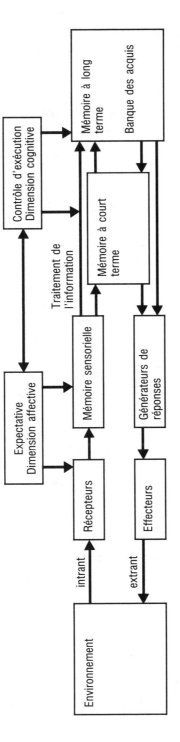

FIGURE 2

LE TRAITEMENT DE L'INFORMATION

sensoriels. Dans le traitement de l'information, la première étape sera celle de la *sensation*.

La mémoire sensorielle

La stimulation de l'environnement affecte les récepteurs du sujet et rejoint le système nerveux par la **mémoire sensorielle**. Cette dernière est responsable de la perception initiale de l'apprenant puisque la mémoire sensorielle essaie de reconnaître dans la sensation les éléments déjà connus (mémoire à long terme ou la banque des acquis). Si cela est nouveau, l'information est dirigée vers la mémoire à court terme où sera construite la représentation symbolique. De cette façon, la mémoire sensorielle s'occupe de la *perception*.

EXERCICE

D'après l'exercice proposé peut-être avez-vous résolu le problème. L'information nécessaire était disponible dans votre mémoire à long terme. Si tel n'était pas le cas, peut-être avez-vous tenté de faire un rapprochement avec des termes déjà connus comme quadrille, quadrillé, quatre, quatuor, trillion. Suivant ce procédé, la mémoire sensorielle essaie de distinguer les éléments connus. Mais, le mot quadrillion étant un terme inconnu, l'information est dirigée vers la mémoire à court terme où sera construite la représentation mentale.

Cette représentation mentale peut se construire en recevant quelques informations comme : le mot quadrillion est un chiffre, ou en cherchant l'étymologie du terme. En effet, en séparant le mot quadrillion en deux parties, qua/ : quatre venant du mot latin quattuor et /drillion : finale empruntée à million, on peut dire que quadrillion signifie un million de trillions, soit 10^{24}.

Signalons que c'est la fonction du générateur de réponses qui permettra de transformer l'information en action ; ainsi, vous pourrez transmettre à l'environnement la réponse par le biais des effecteurs soit la parole, l'écriture, le geste, le dessin, etc.

La mémoire à court et à long terme

La nouvelle information, projetée dans la **mémoire à court terme**, est encore codée, mais cette fois sous une forme conceptuelle appelée à devenir la *représentation symbolique ou mentale ou le référent direct*. Dès que l'information, telle que traitée dans la mémoire à court terme, correspond à ce qui est recherché, elle sera transformée pour être consignée dans la **mémoire à long terme** où sont *emmagasinés tous les savoirs ou les acquisitions antérieurs.* Cette consignation sert à fournir les références utiles au traitement des informations et à régulariser l'intensité du vécu cognitif et affectif. Suivant ces acquis, le système vient chercher les habiletés cognitives, les connaissances et les informations facilitant la recherche de solution au problème.

Le générateur de réponses

Cependant, l'information retirée de la mémoire à court ou à long terme passe à un **générateur de réponses** qui a pour fonction de transformer l'information en action. Sous forme de signal neurologique, les générateurs de réponses assignent aux effecteurs la *tâche de donner la réponse* (extrant) à l'environnement.

Les effecteurs

Les **effecteurs** sont comme les portes de sortie de l'organisme. Ce sont eux qui *véhiculent la réponse* (l'extrant) à l'environnement par le biais des muscles et des nerfs sous forme verbale ou non verbale, d'où la capacité de communiquer à l'environnement les résultats. Ainsi, d'après Gagné (1976) et Noiseux (1984), si l'individu a parcouru tout ce processus, l'information a été traitée et le sujet l'a apprise.

Les structures de contrôle affective et cognitive

Toutefois, le rythme et le flux nerveux qui circulent entre les composantes sont régularisés par les **deux structures de contrôle** : expectative (affective) et d'exécution (cognitive) qui à tout instant influencent l'intensité du vécu cognitif ou affectif. Ce système contrôle et planifie toute l'activité cognitive et affective lors d'un traitement d'information.

Dès son entrée dans le système, l'intrant est accueilli par les récepteurs, eux-mêmes influencés par les dimensions tant affective (l'expectative) que cognitive (le contrôle d'exécution). Ces deux structures sont constamment mises à contribution lors de chacune des étapes du traitement de l'information. C'est pour cette raison que ces deux structures apparaissent au haut de la figure.

EXERCICE

Votre expérience révèle l'influence de la dimension affective sur l'ouverture ou la fermeture des récepteurs. En effet, avoir pensé ou dit : « Ça m'intéresse ce genre d'exercice » ou le contraire « Je ne suis pas habile dans ce genre de jeu » exerce une influence sur l'état interne et sur la motivation à poursuivre ou non l'expérience. La dimension cognitive a aussi son importance. Sans la connaissance étymologique du mot ou sans information, il est difficile de procéder.

Suivant la description de ce modèle, les conditions internes seraient donc l'état ou les réactions de traitement de chacune des structures internes en réponse à tout intrant, que ce dernier soit amené par l'environnement ou qu'il soit recherché par le système. Vues ainsi, toutes les structures seront mises à contribution : la mémoire sensorielle, la mémoire à court terme, la mémoire à long terme (où sont reliés les trois types de savoirs), les générateurs de réponses et les effecteurs ; d'où le particularisme de chaque traitement puisque les conditions varient à l'infini selon les contextes, les expériences personnelles et la disponibilité des structures à interagir avec l'environnement à des moments donnés.

Il existe donc une interdépendance entre les conditions internes et les événements externes puisque l'information provenant de l'extérieur s'achemine vers son but et le traitement de l'information effectué par le sujet est communiqué à l'extérieur pour recevoir une rétroaction.

Notes

1. Le modèle du traitement d'information, tel qu'utilisé et explicité dans ce texte, provient des auteurs suivants : Gagné, Robert, *Les principes fondamentaux de l'apprentissage,* Éd. HRW, Montréal, 1976 ; Noiseux, Gilles, *Modélisation de la dynamique d'apprentissage,* texte inédit, janvier 1984.

2. L'interaction constante entre les conditions internes et les événements externes sera largement explicitée au quatrième et cinquième chapitres. Rappelons seulement que l'utilisation du modèle du traitement de l'information veut démontrer le lien entre les processus interne et externe.

3. Saferis, Fanny, *Une révolution dans l'art d'apprendre*, Éd. Robert Laffont, Paris, 1978, p. 70.

4

LES INDICATEURS DES CONDITIONS INTERNES

Les mécanismes internes du processus d'intégration des apprentissages s'expriment par le biais des changements de comportements de l'apprenant. Ce changement se réalise lors de l'acquisition de nouvelles connaissances ou de nouvelles habiletés ou lors de l'adoption de nouvelles attitudes. Ces conditions internes sont précisées à partir des conditions mêmes de l'organisme humain engagé dans la tâche de traitement de l'information. Ainsi, il faudra s'assurer chez l'apprenant[1] :

1. de la qualité de l'intrant, du degré d'ouverture et du seuil de réception des canaux sensoriels (récepteurs) de l'apprenant car ils sont appelés à être stimulés par l'environnement (l'intervenant, les médias et la réalité) ;

2. de rejoindre les intentions de l'apprenant (phase de disponibilité et de motivation), car s'il se sent motivé, toute sa sensorialité et sa subjectivité seront engagées (phase d'exposition) dans l'expérience proposée ;

3. que les structures de contrôle sur les plans cognitif et affectif soient mobilisées afin que l'investissement et l'implication soient durables ;

4. que le traitement de l'information repose sur la qualité de la représentation mentale (phase du mouvement de l'expérience) dans la mémoire à court terme ;

5. que le matériel référentiel utilisé dans la mémoire à court terme soit accessible et disponible dans la mémoire à long terme ;

6. que l'intimité de l'apprenant soit préservée et qu'il ait tout le temps désiré pour dégager une signification de son expérience (phase de symbolisation) ;

7. que l'apprenant reçoive bien la rétroaction afin de l'amener à symboliser ou à prendre davantage possession de la signification de son expérience ;

8. que l'expression et le partage de son expérience servent à compléter et à créer une extension entre cette expérience vécue et l'ensemble de ses expériences (phase de l'action expressive).

Toutes ces conditions internes s'inscrivent aux différentes phases du processus d'intégration des apprentissages et rejoignent les différents modèles et les différentes théories qui sous-tendent la particularité de chacune des phases du processus d'intégration des apprentissages.

Dans le but de faciliter au lecteur l'intégration des principales notions, un exemple servira à illustrer les conditions internes à travers les cinq phases du processus d'intégration des apprentissages. De plus, comme lecteur, vous serez appelé à vous référer à une expérience que vous avez faite antérieurement. Votre expérience d'apprentissage servira d'illustration à votre processus d'intégration des apprentissages.

Première phase : disponibilité et motivation

■ **Exemple et exercice**

EXEMPLE

Lors d'un repas chez son ami Bruno, Judith écoute Dominique parler de son voyage au Guatemala. Photos aidant, Judith devient éprise par les beautés du pays et un vif désir de le visiter prend forme. Curieusement, au cours de la semaine, elle se surprend à y songer. Elle entreprend même des démarches, trouve par hasard un article sur le sujet, questionne des personnes qui ont appris la langue espagnole et pense sérieusement à s'inscrire à de tels cours.

Tel qu'illustré, la façon dont Dominique a su communiquer son voyage a créé chez Judith un état intérieur stimulant qui l'amène à désirer s'inscrire à des cours de langue espagnole. Si son intention est suffisamment grande, elle canalisera ses énergies pour trouver l'information nécessaire à la réalisation de son objectif : apprendre la langue espagnole pour favoriser ses déplacements au cours du voyage.

EXERCICE

Ici, j'invite le lecteur à se remémorer un apprentissage d'ordre culturel, intellectuel, manuel ou sportif que vous avez fait et que vous désirez explorer davantage.

1. *Choisissez une expérience d'apprentissage que vous avez faite et dans laquelle vous avez acquis les connaissances, les habiletés et les attitudes nécessaires en fonction d'un but.*

2. *Décrivez les intentions (besoins, projets) qui vous ont amené à débuter ce nouvel apprentissage.*

■ Perceptions et comportements

Les intentions de l'apprenant à l'égard de son apprentissage mettent en relief le monde intérieur qui cherche à transiger avec le monde extérieur[2]. Par cette transaction, l'individu cherche à répondre à ses besoins.

Le siège de nos besoins généraux est consigné par le nouveau cerveau ou le cortex cérébral. Dans ce nouveau cerveau, le *monde intérieur* est constitué de tous les besoins, tels que le besoin d'aimer, d'être aimé, de se sentir utile, créateur, le sentiment d'appartenance, le besoin d'approbation.

À partir de cette gamme de besoins, l'apprenant bâtit un modèle dans sa tête. Il apprend à reconnaître ce qu'il désire pour ensuite emmagasiner cette information dans le nouveau cerveau, qui constitue la mémoire. Ce qui est emmagasiné, c'est précisément la *perception* de ce que l'individu recherche.

D'après la figure 3, l'apprenant a dans sa tête une représentation ou une image de ce dont il a besoin. Et il recherche dans son environnement ce qui se rapproche le plus de cette image. Il tente ainsi de faire coïncider cette image intérieure (à *la station de comparaison*) avec le *monde extérieur*.

FIGURE 3

COMPORTEMENT : LA PSYCHOLOGIE DU CONTRÔLE DE LA PERCEPTION (BCP) SELON GLASSER

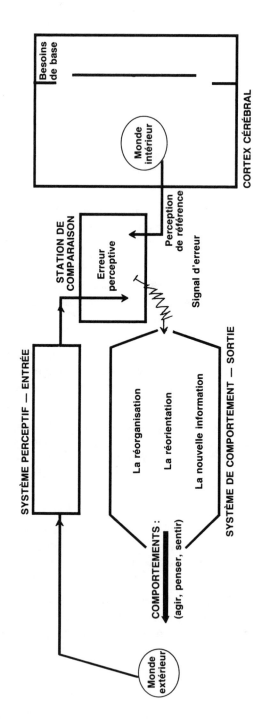

EXEMPLE

En d'autres termes, supposons que dans son monde intérieur Judith éprouve le besoin d'évaluer ses capacités d'apprendre une autre langue. Pour ce faire, elle imagine différents scénarios : participer à un cours qui met davantage l'accent sur la conversation ; appartenir à un petit groupe d'apprenants, débutants comme elle ; utiliser des méthodes actives et appropriées à sa façon d'apprendre.

Si ce que Judith a visualisé (monde intérieur) correspond à la réalité (le monde extérieur), alors la station de comparaison n'éprouve aucune difficulté et son processus d'apprentissage se poursuit. Toutefois, si le style d'enseignement utilisé par le professeur ne correspond pas aux attentes de Judith et au descriptif du feuillet d'inscription du cours, la station de comparaison a toutes les chances de déclencher un *signal d'erreur perceptive*. Ce signal d'erreur perceptive stimule le système de mise en action des comportements afin de corriger cette erreur perceptive[3].

Système de comportement

Ce système de comportement est constitué de trois composantes qui permet de réduire l'erreur perceptive afin de satisfaire nos besoins. Ce système comprend deux sous-systèmes majeurs, soit la réorganisation et la réorientation, puis un sous-système mineur, la nouvelle information.

Système de réorganisation

Le système de réorganisation est très énergique. Il suggère une série de comportements nouveaux et combinés, tant et aussi longtemps que l'apprenant exerce un contrôle sur l'erreur perçue.

En somme, le système de réorganisation est très dynamique, il comprend un vaste répertoire de comportements disponibles pour parvenir à corriger l'erreur perceptive.

EXEMPLE

D'après l'exemple utilisé, pour réduire l'erreur perceptive, Judith questionnera peut-être le professeur sur la différence entre ce qu'il fait et ce qui est indiqué sur le feuillet d'information. Elle pourra aussi suggérer une activité lui permettant d'être active dans son apprentissage afin d'atteindre la performance désirée. Elle peut s'organiser pour en parler aux autres participants, voir s'ils sont de son avis et faire une proposition au professeur. Suite à des tentatives infructueuses, elle peut choisir d'assister au cours pour recevoir les notions de base et participer comme bénévole à un groupe d'entraide pour les réfugiés sud-américains afin de pratiquer les rudiments de la langue. Finalement, elle peut abandonner le cours et s'inscrire à un autre qui correspondra davantage à ses attentes.

- Système de réorientation

Contrairement à l'autre système, la réorientation est un processus d'apprentissage réfléchi, efficace et ingénieux qui cherche à réduire stratégiquement l'erreur. Il puise dans la mémoire tout en se référant au passé, au présent et à l'avenir afin de considérer si tel comportement est désirable ou non pour réduire l'erreur.

EXEMPLE

Après avoir « tout essayé » ou avant d'agir, Judith peut analyser de plus près la situation (système de réorientaion) et se demander : « Puis-je modifier mon besoin ? Serais-je capable d'apprendre avec satisfaction même avec un professeur de style magistral ? D'après ce que j'observe, ce professeur est-il capable de modifier son approche ? Suivant ce que j'ai entendu des besoins des autres apprenants, y a-t-il suffisamment de personnes qui endosseraient ma proposition ? Qu'est-ce que je gagne et je perds en créant un changement ou en acceptant la situation telle quelle ? »

Sans oublier que le système de réorientation cherche à apprendre davantage afin de disposer d'un plus grand nombre de comportements, il est aussi à l'affût de toutes nouvelles informations. Par l'entremise du système de réorganisation qui suggère constamment de nouveaux comportements au système de réorientation, tout individu est, sans le savoir, continuellement en état d'apprentissage.

• La nouvelle information

Le sous-système qui est désigné par le système de la nouvelle information est utilisé fréquemment pour affronter les erreurs transitoires ou lorsque les besoins ne sont pas très grands. Par exemple, lorsque nous ne savons pas comment procéder pour remplir un formulaire, le manuel d'instruction peut nous fournir les informations afin de répondre adéquatement, sans que nous ayons à nous réorganiser. Ainsi, la perception d'une nouvelle information pénètre directement dans le système de comportement et nous indique ce que nous devons faire afin que nous n'ayons pas toujours à nous réorganiser et à nous réorienter.

• Résumé

Le système de réorganisation est continu et il est essentiel à notre survie. En fonctionnant au hasard, il suggère des comportements au système de réorientation. Celui-ci est capable de jugement, de morale, de logique et d'apprentissage.

La connaissance du système de comportements permet à l'apprenant et à l'intervenant de vérifier et de s'assurer de la qualité de l'intrant, du degré d'ouverture et du seuil de réception des canaux sensoriels. En effet, s'il existe un problème signalé dans le système de comparaison, l'attention de l'individu est mobilisée pour adopter le comportement adéquat dans le but de réduire l'erreur perceptive. Par le fait même, les récepteurs sont fermés et dans l'immédiat le sujet n'est ni disponible, ni motivé à poursuivre son objectif premier.

D'autre part, si les intentions de l'apprenant sont rejointes, s'il y a une correspondance entre ses besoins (le monde intérieur) et ce que peut lui offrir l'intervenant (le monde extérieur) comme moyen ou outil pour réaliser ses objectifs, il y a de fortes probabilités que ses structures de contrôle, sur les plans cognitif et affectif, soient mobilisées et qu'il s'engage davantage dans l'expérience.

Deuxième phase : exposition

■ Exemple et exercice

EXEMPLE

Reprenons l'expérience de Judith. Celle-ci arrive à son premier cours et constate que certaines personnes parlent déjà un peu la langue espagnole. Elle ne se sent pas à la hauteur de la situation et cela la plonge directement dans ses expériences antérieures lors de l'apprentissage de la langue anglaise. Elle se dit : « Mais quelle idée ai-je eu de m'engager dans ce cours ? Je risque d'être frustrée. Qu'est-ce que je fais ici ? ».

Le cours se poursuit et une activité de petit groupe est proposée. En y participant, Judith découvre qu'elle peut s'amuser tout en apprenant. Cela devient même agréable d'émettre certains sons et d'articuler de courtes phrases.

Du fait que Judith est motivée à poursuivre l'expérience, elle est amenée à vivre des sensations d'ordre physique, émotionnel, intellectuel, reliées au but qu'elle poursuit. En demeurant en contact avec ces sensations, celles-ci deviennent des indices précieux à l'apprentissage et à la poursuite du processus en cours.

EXERCICE

Maintenant, d'après votre expérience initiale :

1. *Décrivez ce que votre organisme a pu éprouver comme sensation lors de votre expérience d'apprentissage.*

2. *Quels sont les craintes, les blocages, les doutes que vous avez éprouvés au cours de cet apprentissage ?*

3. *Quels sont les facteurs ou les conditions qui vous ont encouragé à poursuivre l'expérience ?*

■ Structures de contrôle

À travers une variété de stimuli sensoriels, l'apprenant est exposé à la possibilité d'une expérience. Cette expérience l'amène à prendre conscience des différentes sensations éprouvées. À cette phase, il est nécessaire que l'individu demeure en contact le plus longtemps possible avec le ressenti ou le fait vécu sans chercher à interpréter ces faits afin d'éviter les erreurs perceptuelles. La perception est étroitement reliée aux processus internes qui président au traitement de l'information : les apprentissages antérieurs, les dimensions cognitive et affective de l'individu comme sa motivation, ses attitudes, ses valeurs, ses intentions, ses interprétations, ses ressentis. Ce sont tous des facteurs qui font de la perception un processus à la fois très sélectif et très particularisé. Or, les deux grandes modalités du traitement de l'information, l'une cognitive et l'autre affective, sont intimement liées, même si pour des fins de compréhension, elles sont étudiées en parallèle.

Ainsi, dans le but de mieux saisir l'apport de chacune des structures de contrôle mise en place lors de l'activité cognitive, il sera décrit succinctement le processus physiologique (les hémisphères du cerveau) et le processus psychique (la conscience).

Fonctions hémisphériques du cerveau

Nous savons maintenant que le cerveau joue un rôle physiologique important dans la production, dans l'intégration des données sensorielles et dans l'exercice des fonctions supérieures de l'activité cognitive, ainsi que dans la corrélation des opérations cognitives et des opérations manuelles[4].

Grâce aux diverses connaissances combinées en anatomie, en physiologie et en neurophysiologie, il ressort que le cerveau possède deux hémisphères distincts, commandant la motricité et la sensibilité de la moitié du corps opposée, spécialisés dans leurs fonctions différenciées. Les mécanismes hémisphériques fournissent le support nécessaire à l'exercice des fonctions mentales supérieures, affectives, cognitives et morales.

D'après les recherches, il y a une dominance relativement marquée des fonctions de l'hémisphère gauche dans les démarches cognitives qui ont un caractère analytique. Il existe aussi une participation dominante de ce même hémisphère dans le langage, l'écriture (aspect analytique), le calcul, puis l'élaboration de rapports logiques.

L'hémisphère droit, pour sa part, fournit un support physiologique aux démarches cognitives ayant un caractère holistique et global. Il jouera un rôle important dans les perceptions des formes spatiales, dans l'identification et la composition des images ainsi que dans les structures rythmiques et mélodiques. Il a aussi une prévalence fonctionnelle dans l'intuition, l'imagination et l'esthétique.

Cependant, on trouve une contrepartie et un complément dans la connexion interhémisphérique. Il se produit entre les deux hémisphères des échanges d'information et une complémentarité dans l'exécution des tâches. On peut dire que les deux hémisphères fonctionnent souvent de concert, pour traiter simultanément les aspects concomitants d'une même tâche.

D'ailleurs, les recherches en neurophysiologie mentionnent qu'une bonne intégration des fonctions hémisphériques est une condition essentielle au fonctionnement harmonieux de la personne, d'où la nécessité d'accorder à chacune de ces fonctions l'occasion ou le contexte pour manifester sa particularité. Négliger les activités créatives ou les aspects holistiques de la connaissance pour mettre l'accent sur les opérations verbales ou analytiques, c'est créer un déséquilibre dans l'apprentissage et la formation de l'apprenant.

Plan psychique

Les sensations et les perceptions, au plan physiologique, n'effleurent la conscience que d'une façon intermittente, notamment lorsque le fonctionnement est perturbé ou quand on s'y arrête volontairement. Toutefois, sur le plan psychique, l'individu éprouve les sensations et les perceptions au moment où elles se produisent. Elles ont un contenu affectif et cognitif, combinées à la fois d'émotions et porteurs de connaissance.

> Enfin, la sensation et les perceptions trouvent dans l'activité psychique le lien spécifique à leur émergence et à leur expansion : en d'autres termes, la conscience est le niveau d'opération qui leur appartient en propre ; il ne s'agit pas d'un substrat, mais d'un champ où elles se déploient[5].

Lorsque l'individu concentre ses intérêts et ses ressources vers un but, les états de conscience donnent au sujet une grande puissance de réalisation. De cette façon, le sujet puise dans l'ensemble de ses ressources affectives et cognitives et accroît le développement de son être.

Il demeure que le regard que l'apprenant porte sur les choses est sélectif d'où la différence des comportements individuels. Une personne attribue une influence décisive sur ses expériences et l'autre considère l'événement comme un fait banal. Cela explique l'importance que la conscience (sensorialité, subjectivité, etc.) soit mobilisée lors des apprentissages.

En effet, se poser la question : « Qu'est-ce que je fais quand j'apprends ? » amène l'individu à porter attention à son activité d'apprentissage, à en acquérir une plus grande conscience et à comprendre davantage les actes qui composent l'apprentissage. Cette démarche permet au sujet une ouverture à des zones familières et étrangères.

▪ Engagement de l'apprenant dans son expérience

Prendre le temps d'objectiver les apprentissages effectués conduit l'individu à un investissement et une implication intenses et ce dernier s'engage avec toute sa sensorialité et sa subjectivité dans l'expérience qui lui est présentée[6].

Ainsi, de la connaissance et de l'objectivation de la façon de percevoir, de comprendre, de sentir, de s'exprimer apparaissent le style et les stratégies individuelles de la façon d'apprendre. Même si le monde est bien « réel », personne n'opère directement sur cette réalité car chacun possède son propre cadre de référence.

Dans la formation du cadre de référence, il y a un lien qui rattache un stimulus précis à une réponse interne. Ce lien est appelé l'ancrage, d'après l'approche de la programmation neurolinguistique (PNL) de Bandler et Grinder[7]. Ce sont les expériences accumulées qui forment ces ancrages (informations reçues par les systèmes sensoriels et retenues dans le cerveau) et peuvent entraîner des réactions ou des comportements. Ainsi, un ancrage négatif (ou erreur perceptive d'après Glasser, 1982), peut déclencher des comportements défensifs qui empêchent l'accès aux autres ressources personnelles. Dans un contexte d'apprentissage, l'intervenant est amené à tenir compte des ancrages négatifs afin de favoriser chez l'apprenant l'ouverture des canaux sensoriels, la mobilisation de sa sensorialité et de sa subjectivité, puis de son engagement dans l'apprentissage.

Attitude et disposition mentale

Au niveau de la dimension affective, une des structures de contrôle, les attitudes, sont les éléments les plus importants comme produits d'apprentissage. Elles peuvent influencer la qualité de la relation et l'image de soi lors de l'apprentissage.

D'ailleurs, d'après Lozanov[8], l'attitude :

[...] est un phénomène qui relève à la fois du conscient et de l'inconscient et qui, dans une certaine mesure, peut être non pas appréhendé, mais contrôlé par la conscience. Les mécanismes de contrôle inconscients des diverses fonctions physiologiques et psychologiques, mécanismes réglés par l'attitude, ne sont pas seulement le produit d'excitations, d'informations venues de l'environnement et qui pénètrent directement dans l'inconscient sans passer par la conscience. Ces mécanismes de contrôle conscient sont aussi et très largement le fruit de l'information consciente elle-même[9].

Il s'agit de créer un certain type d'attitude qui va solliciter les « réserves[10] » de l'individu et permettre ainsi l'apprentissage.

Le type d'attitude auquel se réfère Lozanov concerne la disposition mentale de l'individu. Cette disposition mentale sélectionne les stimuli de l'environnement et donne une direction spécifique aux actes volontaires et involontaires[11]. Cette disposition mentale se trouve à la base du phénomène suggestif qui fait partie d'une combinaison étroite avec la motivation, les intérêts, les besoins, etc. Elle est en fait la préparation intérieure et inconsciente pour un certain type d'activité et cette disposition va solliciter les réserves de l'individu. Cette disposition mentale est tout le contraire de la critique ou de la suggestion négative inconsciente qui agit sur chaque individu. D'ailleurs, ce genre de suggestion (message anti-suggestif) a depuis longtemps convaincu l'individu de son incapacité de faire ou d'apprendre.

Lâcher-prise

Se joint aussi à la disposition mentale toute la capacité d'abandon. Cet abandon, c'est le lâcher-prise. Lâcher-prise, c'est s'aventurer vers l'inconnu, quitter son conditionnement et ses idées toutes faites. C'est aussi accepter de ne pas connaître tous les éléments, accepter même de se perdre. C'est s'abandonner juste à « ce qui est » en gardant les yeux ouverts et en suivant l'expérience en cours.

En abandonnant le besoin de certitude, l'individu trouve une compensation sous une forme différente, soit l'intuition. Celle-ci est disponible pour nous guider et son utilisation dans nos activités quotidiennes accroît en nous le sentiment toujours plus fort d'être porté vers la bonne direction.

Ainsi, s'abandonner, c'est laisser apparaître dans le silence. « [...] En nous réside quelqu'un qui sait tout, qui veut tout ce qui est pour notre bien et l'accomplit mieux que nous-même[12]. »

L'adoption de cette attitude d'abandon s'associe aux valeurs ou aux croyances comme celles de croire à la capacité de croissance de l'individu, au respect du rythme, des intérêts et des besoins individuels.

De cette façon, il est possible de dire que l'apprenant est pleinement engagé dans l'expérience d'apprendre lorsque les structures de contrôle, dimensions cognitive et affective, sont mobilisées et que celui-ci tient compte de ses réponses intérieures, de son bagage d'expérience et de connaissances.

Troisième phase : mouvement de l'expérience
- **Exemple et exercice**

EXEMPLE

Lors de son dernier cours d'espagnol, Judith a appris une chanson dont l'air lui était familier. Plus elle la fredonne, plus les mots espagnols lui reviennent facilement à la mémoire et la prononciation se fait aussi plus aisément. Grâce à la version française déjà entendue, elle peut saisir davantage l'ensemble du texte espagnol. Elle se souvient que les comptines apprises dans son enfance lui ont permis de développer davantage son vocabulaire et d'acquérir une plus grande facilité pour l'articulation et une nette amélioration de sa capacité de rétention.

À cette étape, Judith est engagée de façon active dans l'expérience. Par la répétition de la chanson, elle est en contact avec les sons, la prononciation, l'articulation. La subjectivité et la sensorialité requises l'acheminent vers la signification de cette expérience. Plus elle poursuit l'expérience, plus la représentation de l'image interne des mots et des sons prennent forme. Ainsi, elle peut apporter, si nécessaire, certaines modifications ou corrections au fur et à mesure qu'elle s'achemine vers la signification.

EXERCICE

Si nous revenons à votre expérience personnelle, que s'est-il passé pour vous comme cheminement avant que vous ayez réussi à comprendre ou à réussir votre apprentissage (images, essais et erreurs, informations supplémentaires, lectures, etc.) ?

Lors de cette expérience, les structures de contrôle étaient en présence. Ainsi, tentez d'identifier :

— la dimension cognitive
— la dimension affective.

Représentation mentale

Une des conditions internes du processus d'intégration est que le traitement adéquat des données repose sur la qualité de la représentation mentale ou symbolique (le référent direct) et que ce matériel référentiel puisé dans la mémoire à court terme dépend de la disponibilité et de l'accessibilité de ces données dans la mémoire à long terme. En fait, la représentation mentale, c'est l'image que nous nous faisons dans notre tête.

Un exemple serait que lors de son apprentissage, l'apprenant perçoit l'intervenant comme une personne « toute puissante » qui sait tout et peut répondre à tout. Il la voit sur un piédestal distribuant récompenses et punitions. À ces images peuvent se joindre d'autres objets et à ceux-ci s'associer des mots tels que : « Je me vois comme le sujet du maître buvant ses paroles ». Les mots, les gestes peuvent préciser davantage les images ou l'abstraction. D'où l'importance de non seulement s'attarder aux images qui dépendent du caractère concret ou abstrait de la situation vécue, mais aussi à la verbalisation ou aux processus verbaux.

Effets de l'image mentale

L'imagination est une fonction qui peut opérer simultanément à divers niveaux : ceux des sensations, des impulsions, des désirs, des sentiments, de la pensée et de l'intuition. Elle fonctionne sous une forme consciente et inconsciente et chaque image est douée d'un pouvoir moteur. Ces images mentales tendent à susciter les émotions et un effet sur les conditions physiques et les actions extérieures correspondantes[13].

Le discours et les images intérieures produisent chez l'individu la tension des muscles ou des groupes de muscles correspondant aux mouvements et aux gestes imaginaires évoqués dans le for intérieur. Comme lecteur, vous pouvez faire immédiatement l'expérience. Imaginez-vous sur le bord d'une plage quelques instants. Puis imaginez-vous à bord d'une voiture en pleine circulation. Vous constaterez qu'il y a des différences physiologiques intéressantes qui se produisent.

Modification de l'image de soi

Maxwell Maltz, auteur de la psychocybernétique et chirurgien esthétique, remarqua qu'en modifiant l'image extérieure d'une personne, elle peut changer intérieurement. Cependant, dans certains cas, il n'y a aucun changement après l'intervention et le patient continue à vivre comme avant, comme si rien n'était changé.

C'est après plusieurs tâtonnements que Maltz devint convaincu que tout individu porte en lui un concept ou une image mentale de son moi. C'est en agissant sur cette image de soi que l'individu effectue cette transformation et cela nécessite le choix d'un objectif précis.

Le choix de l'objectif est notre privilège et notre grandeur (comparativement à une machine) encore faut-il savoir comment « programmer » notre cerveau, une fois notre choix fait, afin d'obtenir ce que nous désirons. Cette programmation bien faite, nos fonctions cérébrales et nerveuses travailleront comme un véritable « mécanisme de réussite » à notre avantage. Dans le cas contraire, nous déclencherons un « mécanisme d'échec » qui jouera contre nous[14].

Ainsi, *la suggestion peut altérer, modifier, améliorer cette image de soi*, principalement parce que l'esprit ne fait pas de distinction entre l'expérience et ce qui est seulement intrinsèquement imaginé. L'image de soi est affectée aussi bien par ce que nous *vivons*, que par ce que nous *imaginons* ou *croyons* : par exemple, l'effet placebo. L'esprit croit (ingestion de médicament), et non ce qui est (rien), et il déclenche le processus de guérison. Ainsi, l'importance d'un échec ne provient pas nécessairement de l'expérience elle-même, mais de *l'effet qu'elle a sur nous*. Visualiser ou créer une image mentale n'est pas plus difficile que ce que les gens font lorsqu'ils se souviennent d'une scène passée ou projettent une image dans le futur[15].

Distinction entre les termes

Afin d'éviter certaines confusions dans l'utilisation des termes ayant trait à l'image mentale, voici quelques distinctions.

L'image physiologique est reliée à la vision ou à son pendant, c'est-à-dire la persistance rétinienne. Ce phénomène a lieu lorsque l'individu ferme les yeux et que l'image reste imprimée quelques instants.

L'image mentale est un terme générique qui se réfère à toutes les sortes d'images qui utilisent particulièrement l'hémisphère cérébral droit sauf l'image physiologique. Dans celle-ci, il faut distinguer :

— La **représentation symbolique**, c'est la réappropriation par le cerveau de ce que les yeux ont vu (couleur, forme, espace, etc.). C'est en quelque sorte une réplique plus ou moins exacte de ce qui a été capté par les sens.

— La **visualisation**, c'est la fabrication volontaire d'une série d'images utilisant comme référentiel les éléments mnémoniques acquis antérieurement auxquels peuvent, dans certains cas, s'ajouter des éléments supplétifs de l'imagination. Exemple : je me vois calme et serein lors d'une entrevue de sélection avec mon futur employeur.

— L'**imagerie mentale**, c'est la réorganisation créatrice d'éléments mnémoniques exploités en dehors de leur contexte d'origine ou encore associés arbitrairement à d'autres éléments mnémoniques tout à fait inhabituels en dehors de leurs cadres traditionnels. Exemple : dormir sur un nuage.

— L'**image onirique**, c'est l'image mentale utilisée par le cerveau durant le sommeil au moment de la phase paradoxale. L'onirisme est une forme d'évacuation qui régularise l'équilibre psychique de l'individu.

Accessibilité aux images mentales

Il a été déjà mentionné, lors de la troisième phase du processus d'intégration, le mouvement de l'expérience, que l'apprenant se fait une représentation mentale de son expérience ou d'un élément à apprendre ou à exécuter. Pour avoir accès à cette représentation mentale, les questions suivantes peuvent faciliter la prise de possession de l'objet de l'apprentissage reconstitué dans la tête de l'individu. Ces questions sont : « Comment vois-tu le problème dans ta tête ? Que représente pour toi cette situation ? Qu'est-ce que tu ressens à propos de... ? Qu'est-ce que tu entends ou comprends... ? » Celles-ci permettent, d'une part, de savoir ce à quoi l'individu fait appel (le référent direct) dans l'immédiat, et d'autre part, le système de représentation qu'il utilise (approche de la PNL). Cela lui permettra d'effectuer une prise de possession des opérations mentales, ce qui constitue l'apprendre à apprendre (la métacognition).

La représentation mentale permet aussi à l'apprenant d'apprendre au sujet de lui-même (aux plans cognitif et affectif) que ce soit à propos de ses difficultés reliées à l'apprentissage, de ses résistances, de ses peurs, des aspects négatifs de sa personnalité qui se répercutent sur son travail et ses relations.

Afin d'éviter que la représentation mentale ne devienne un mouvement statique, il est nécessaire que les consignes divergentes (les questions posées) parviennent à la conscience. Les opérations mentales, par l'entremise de la pensée relationnelle, permettront à l'individu de faire le rapprochement entre l'expérience immédiate et l'expérience antérieure.

Grâce aux modifications de la représentation mentale et aux rapprochements effectués, la personne peut s'acheminer plus facilement vers la phase suivante, soit la symbolisation.

Quatrième phase : symbolisation

- ## Exemple et exercice

EXEMPLE

Au cours de son apprentissage, Judith éprouve de la difficulté lors de la conjugaison des verbes. Elle décide donc de créer une association avec un mot déjà connu. Ces points de repère l'aident à se remémorer plus facilement les conjugaisons dans la langue espagnole et par conséquent cela la rend plus performante. Ayant trouvé ce « truc », cela lui permet d'entrevoir avec plus d'enthousiasme l'exercice individuel de synthèse qui aura lieu dans deux semaines devant tout le groupe.

EXERCICE

Maintenant, pour vous, que s'est-il passé quand vous avez compris comment il fallait procéder pour réussir votre objectif (ce que vous avez dit, ce que vous avez ressenti, etc.) ?

Quel changement s'est-il produit à partir du moment où vous avez saisi comment il vous fallait procéder ?

- ## Recherche du sens

À cette phase, il existe une alliance spontanée de l'expérience sensible, de la recherche, des connaissances, de l'intuition. Cette alliance fait appel aux doubles fonctions complémentaires du cerveau.

> Si le savoir intuitif du cerveau droit n'est pas nommé, étiqueté ou encore explicité dans l'énoncé d'un concept, d'un principe ou d'une règle, il s'évanouit en fumée, rien n'est jamais matérialisé et retourne pour ainsi dire dans le domaine de l'inconscient[16].

Dans sa recherche de sens, l'apprenant est appelé à utiliser les fonctions complémentaires des hémisphères cérébraux afin qu'il puisse dégager de la représentation mentale ou du référent direct, les significations naissantes[17]. Il est important de se rappeler que la verbalisation de la représentation mentale est nécessaire, sinon il n'y a ni apprentissage, ni intégration puisque l'acte de verbaliser fait appel aux doubles fonctions du cerveau.

Étapes de la symbolisation

Cette recherche de sens s'effectue en deux étapes chez l'apprenant. Dans un premier temps, la symbolisation apparaît dans le silence, dans l'intimité de l'être. Il s'avère donc important que l'intervenant procède avec beaucoup de discrétion afin que la symbolisation émerge de l'expérience subjective elle-même. À la façon d'un acte créateur, d'un eurêka non provoqué, non recherché et évidemment non fabriqué intellectuellement[18]. Dans un deuxième temps, cette signification a besoin d'être communiquée afin que le sujet assume davantage cette nouvelle expérience. De cette façon, l'intervenant agit comme récepteur et support à l'exploration créatrice. Finalement, la rétroaction (l'appréciation) que l'apprenant reçoit lui permet de dégager une signification de son expérience et d'agrandir son répertoire d'adaptation.

▪ **Journal de bord**

Il existe plusieurs moyens de favoriser le dégagement de la signification[19]. Parmi ceux-ci, l'expression écrite ou le journal de bord s'avère un instrument précieux pour permettre à l'apprenant de dégager les significations qui apparaissent et qui l'orientent de plus en plus vers son but. De telle sorte que, par l'expression de son vécu,

> [...] il maîtrise non seulement de nouveaux paramètres de sa conscience, mais par des mots qui réfèrent à son vécu, par un langage qui articule sa pensée, il installe ces acquisitions dans le cortex sensitivo-perceptif et dans le cortex temporel de la mémoire. Par là même, il vient d'agrandir son répertoire d'adaptation et d'élargir un matériel référentiel profitable pour lui dans d'autres circonstances de sa vie[20].

Le journal de bord se définit comme un instrument d'exploration des événements internes et des activités reliées à l'apprentissage. Par le biais de l'expression écrite, l'apprenant consigne ses pensées, ses réflexions, ses actions, ses objectifs.

Le journal permet de diriger la conscience mais aussi de donner une forme aux expériences quotidiennes. C'est par la réflexion et l'observation qu'apparaît ce qui se joue réellement et les questions suivantes en sont des exemples : « Quelle était mon intention cachée dans ce geste ? Que s'est-il passé pour moi quand... ? Quelle intention ai-je prêtée à l'autre ? »

En somme, l'exercice d'écriture rend non seulement l'acte plus facile ou productif, mais rend la pensée plus claire et plus précise.

FIGURE 4

MODELISATION COMPLÈTE DE LA COMPLEXITÉ D'UN SYSTÈME

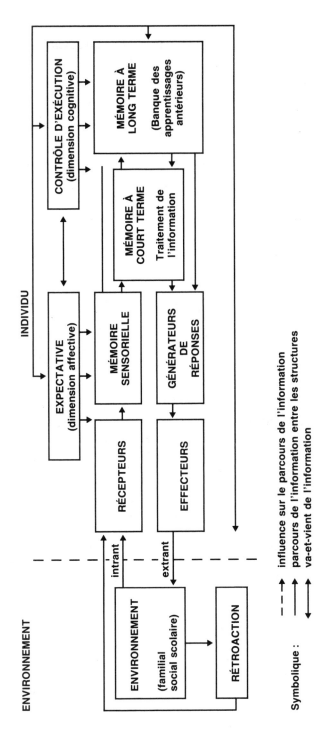

Tableau modifié à partir du document de NOISEUX Gilles, texte inédit, 1984.

Les processus rationnels et non rationnels mis en jeu deviennent plus mobiles, plus disponibles. La conscience, la capacité d'attention, d'observation, de questionnement s'accroissent. [...] Cette capacité de désidentification (Assagioli, 1965) c'est-à-dire de prendre du recul et de retrouver son essence est une condition au développement, aux transformations personnelles[21].

L'exploration de cet espace intérieur, par le journal de bord, permet une meilleure connaissance de l'apprenant au sujet de ses désirs tout en donnant accès au langage intérieur et en facilitant les prises de conscience accordées à l'action et aux réactions.

Par contre, l'écrit ne précise pas tout le savoir. Les mots ne peuvent communiquer tout le ressenti, toute la qualité de l'expérience vécue. Ils précisent, nomment et incarnent la pensée, mais il reste toujours une partie non formulée, cachée, innommable contenue dans le référent intérieur. Cependant, même si le savoir reste en partie non formulé, il existe quand même. Il deviendra apparent dans le savoir-faire, le savoir-être, la gestuelle, les réflexions de l'apprenant puisque ce savoir intuitif est profondément ancré à l'intérieur de la personne.

L'écriture permet aussi, à l'auteur du journal de bord, de se distancier de ses émotions : d'abord, en les laissant émerger dans le but de les comprendre, par la suite, d'en devenir le témoin ou l'observateur, pour finalement prendre conscience de l'impact de son attitude, s'en distancer et effectuer les changements souhaités.

Cet apprentissage d'être observateur, témoin de ses attitudes est un pré-requis essentiel pour favoriser la symbolisation, pour se connaître et connaître le processus interne de l'être apprenant.

Procédés pour faciliter son utilisation

Dans le but de faciliter l'acte d'écriture et de découvrir la richesse de l'outil, il est parfois nécessaire pour l'apprenant de faire un déconditionnement. Ainsi, il sera appelé à évacuer toutes les idées négatives ou les résistances qui apparaissent comme : « Je ne sais pas écrire », « J'ai trop d'activités pour m'arrêter », etc. Une autre façon d'approcher l'écriture, c'est de l'entourer d'un rituel comme les moments propices, l'ambiance, l'utilisation d'un cahier, de papiers ou de crayons particuliers, de prendre quelques minutes pour relaxer avant d'écrire. Ce procédé peut faciliter la mise en scène de l'écriture et de la compréhension, car il ne s'agit pas d'écrire pour écrire[22].

■ Rétroaction

La rétroaction est un autre moyen qui favorise la signification. Elle a pour but de supporter et d'orienter l'individu dans un vécu. Ainsi, la verbalisation ou la réponse de l'apprenant est reçue par l'environnement qui, par rétroaction, réagit à celui-ci.

D'après la figure 4[23], la rétroaction est captée par les récepteurs de l'individu. Ce dernier toujours influencé par ses deux structures de contrôle (dimensions affective et cognitive) s'engage dans un processus de régulation de ses comportements. Par l'assimilation et/ou l'accommodation (théorie de Piaget), l'individu cherche à s'approprier le vécu en y donnant une direction, un sens qui se veut en accord avec ses expériences, ses apprentissages. De cette façon, l'apprenant agrandit son réservoir d'apprentissage (mémoire à long terme) et élargit son répertoire d'adaptation (dimensions affective et cognitive) (Noiseux, 1974). Cependant, si ce dernier ne dégage pas de signification de son expérience, il est possible que l'expérience n'ait pas d'impact sur les apprentissages. D'où la nécessité de fournir à l'apprenant une rétroaction afin de lui permettre de tirer profit de son expérience.

Caractéristiques d'une rétroaction

Afin de s'assurer que l'apprenant reçoive bien la rétroaction, il s'avère nécessaire que l'intervenant rende cette rétroaction positive et efficace. Ainsi, il se doit d'être descriptif en évitant de porter un jugement de valeur qui pourrait provoquer une attitude de défense de la part du sujet. L'intervenant doit être clair sur ses propres intentions et considérer, d'abord et avant tout, les besoins de l'apprenant avant de fournir ses commentaires. Un autre élément consisterait à choisir le moment approprié afin que la rétroaction ait le plus d'effet possible et de favoriser ensuite une discussion pour qu'il puisse réagir.

> Combien d'apprentissages ont été paralysés ou anéantis parce qu'ils étaient effectués dans le noir, sans la chaleur et la lumière d'un regard bienveillant ! Celui qui apprend donne à certains moments, beaucoup de lui-même, il prend des risques, dépense parfois une énergie considérable ; et une énergie positive doit pouvoir être rendue pour qu'il progresse[24].

Ainsi, la rétroaction vient privilégier le lien entre les conditions internes et les événements externes et permet à l'apprenant de s'actualiser à travers son expérience. De cette façon, l'action de l'intervenant devient essentielle pour favoriser l'intégration des apprentissages.

Cinquième phase : action expressive

- ## Exemple et exercice

EXEMPLE

Revenons à l'expérience de Judith, qui pour l'exercice synthèse, doit présenter devant tout le groupe en langue espagnole un sujet qui l'intéresse particulièrement. Elle décide de traiter du Guatemala — objet de son prochain voyage — à l'aide de diverses lectures, des récits de certaines personnes et des photos de Dominique. Cet exercice lui permet de découvrir à quel point lorsque le sujet traité l'intéresse elle s'exprime plus facilement. Curieusement, dans ces moments-là, l'utilisation des bons termes vient aisément. Elle découvre aussi à travers cela sa motivation, son intérêt pour la langue espagnole et ses habiletés de communicatrice. Quel encouragement pour ce voyage !

EXERCICE

Maintenant d'après votre apprentissage initial :

1. *Quels sont les indices qui vous ont permis de constater que votre apprentissage était complété ?*

2. *Quel moyen avez-vous utilisé pour franchir cette dernière phase, soit l'action expressive ?*

3. *Lors de l'action entreprise, avez-vous constaté que vous possédiez davantage la nouvelle expérience ou la nouvelle connaissance ?*

- ## Qualité de l'expression et des échanges

La qualité de l'expression et du partage a pour but de créer une extension sur l'ensemble des apprentissages. Alors, s'il y a effectivement eu apprentissage, l'apprenant saura appliquer ce qu'il a appris aux différentes réalités de son travail, au moment opportun.

Cependant, pour que ce transfert des acquis s'effectue adéquatement, il est nécessaire que l'individu traduise le plus explicitement possible son expérience. Cette expression doit posséder certaines qualités afin qu'elle donne les résultats escomptés[25]. Elle doit être *précise* et capable de traduire les nuances et la complexité de l'expérience vécue. Elle doit *respecter* le plus possible l'intensité subjective de l'expérience. Enfin, cette expression ne doit pas être affaiblie par des explications et des justifications, elle doit être *directe*.

Il va sans dire qu'il est souhaitable que l'expression de l'individu s'effectue avec un interlocuteur précis et adéquat. Cette expression dirigée vers l'interlocuteur doit être effectuée avec une force suffisante pour le rejoindre. De plus, l'apprenant est appelé à demeurer ouvert, atteignable par ce que dit ou fait son interlocuteur. Ces derniers éléments sont en somme des conditions nécessaires pour s'assurer de la qualité de l'expression et du partage. Ainsi, l'expérience vécue devient disponible, accessible, et prend une place ou une signification adéquate dans l'ensemble de son existence. Ceci implique donc que l'apprenant soit capable d'assumer concrètement son expérience comme sienne et qu'il reconnaisse qu'elle ait pris son origine en lui-même.

En prenant le risque d'exprimer et de partager son expérience, l'apprenant s'assure de la clarté de son expression et de la compréhension subjective de sa nouvelle expérience. En communiquant son expérience, il complète la phase de la symbolisation et effectue aussi une synthèse de cette expérience vécue. Reprendre publiquement une expression déjà faite en privé lui permet parfois de constater que c'est justement cet aspect social qui manquait pour compléter son apprentissage.

Puis, à l'instar de Guirao (1979), il est possible de dire que la parole est la fenêtre sur la pensée. Elle sert à l'objectivation par cette mise à distance du sujet qui lui permet de comprendre avec plus d'objectivité l'expérience vécue. Ainsi, l'objectivation devient un point complémentaire à l'expression.

Résumé des conditions internes du processus d'intégration

En guise de résumé, mentionnons que lors de la première phase du processus d'intégration, l'individu a déjà certaines attentes. Il est curieux d'apprendre, d'acquérir des connaissances, des compétences, des attitudes nouvelles et son attention est mobilisée vers la satisfaction de ses besoins. À la deuxième phase, celui qui apprend quelque chose ne le fait pas seulement avec son cerveau mais avec son corps tout entier en faisant appel à la sensorialité et sa subjectivité. À la troisième phase, son ressenti et ses nouvelles expériences l'amènent à modifier sa représentation mentale. Il constate que ce qui lui était inconnu ne l'était pas tout à fait sinon il n'aurait pu mobiliser son attention vers la recherche d'une signification. À la quatrième phase, « l'apprenant qui lâche-prise, qui s'arrête de vouloir apprendre, réalise alors que '' ça s'apprend tout seul '' à l'intérieur de lui. [...] Apprendre, c'est changer, c'est être en deuil de ce qu'on était, devenir étranger à soi-même[26] ». À la cinquième phase, la personne est amenée à dépasser ou à faire une extension de la signification, soit en la communiquant, soit en effectuant une généralisation ou un transfert de ce qu'elle vient d'apprendre à ses autres connaissances ou expériences.

■ Réflexion sur les conditions internes

Ce modèle démontre que chacune des phases est nécessaire pour que le processus d'intégration s'effectue. En effet, si l'apprenant n'est pas motivé et disponible à apprendre, il ne s'engage ni sensoriellement, ni subjectivement dans l'expérience. En conséquence, il ne peut dégager une signification de celle-ci puisque la symbolisation passe d'abord et avant tout par l'expérience interne, c'est-à-dire ce que le sujet a intériorisé. De même, il ne peut franchir la cinquième phase, celle de l'action expressive, s'il n'a pas dégagé de signification de son expérience. Bien sûr, il pourra verbaliser, mais de façon rationnelle, sans être en contact avec son ressenti.

Certaines phases comme celle de la motivation et de la disponibilité sont présentes dans chacune des autres. Pour que l'individu reste en contact avec son ressenti, accepte temporairement de vivre les difficultés inhérentes à l'apprentissage et relève les défis reliés aux différentes phases, il lui faut évidemment un certain degré de motivation et de disponibilité. Il en est de même, pour la phase de l'action expressive présentée à la toute fin du processus, où l'individu communique à l'environnement la signification naissante. L'expression est présente et même nécessaire aux autres phases, entre autres lorsque la personne veut agrandir ou préciser la représentation mentale qu'elle se fait.

Il faut souligner que le processus d'intégration s'effectue au fur et à mesure que des éléments apparaissent dans le champ perceptuel de l'apprenant. En effet, si ce dernier est attentif à la toute première information, il se greffe d'autres éléments qui constituent finalement une vue d'ensemble du savoir à acquérir. Les différentes phases du modèle proposé ne sont que les grandes lignes du long processus suivi par la personne. Selon le savoir et le niveau de savoir à acquérir, chaque phase aura ses propres embûches tout au cours du cycle. Ce n'est qu'au fur et à mesure que le processus évolue que se dessinera un certain raffinement au niveau du savoir, savoir-faire et savoir-être.

D'autre part, le fait de proposer un modèle sur l'intégration des apprentissages m'amène à me préoccuper d'une cohérence entre le modèle théorique, tel que suggéré avec ses cinq phases, et les indicateurs des conditions internes et des événements externes qui viennent nuancer le processus vécu à chacune des phases. Du fait que le processus d'intégration soit un processus circulaire, nécessairement chacune des phases est à la fois l'aboutissement et le début d'un nouveau cycle. Ainsi, les indicateurs deviennent des moyens pour repérer et outiller l'intervenant jusqu'à la phase subséquente.

▪ Présentation du tableau des conditions internes

La description des conditions internes s'est voulue la plus explicite possible, mais il n'en demeure pas moins que plusieurs de ces éléments demeurent intangibles. Cependant, grâce à la description des événements externes, il sera possible de voir les possibilités d'action qui s'offrent à l'apprenant et à l'intervenant à l'égard du processus d'intégration des apprentissages.

TABLEAU 2

LES CONDITIONS INTERNES ET LES ÉVÉNEMENTS EXTERNES

Les conditions internes favorisant le processus d'intégration. Il faut s'assurer de :	Phases du processus d'intégration	Les événements externes favorisant le processus d'intégration. Il faut s'assurer de :
— La qualité de l'intrant, du degré d'ouverture et du seuil de réception des canaux sensoriels. — L'atteinte des besoins de l'apprenant.	1. La disponibilité et la motivation	— L'atmosphère propice à l'apprentissage, du style sensoriel de l'apprenant, de ses préoccupations, de ses objectifs d'apprentissage et d'un équilibre entre les pôles autorité et confiance.
— La mobilisation de la sensorialité et de la subjectivité. — L'implication des structures de contrôle : cognitive et affective.	2. L'exposition	— La confiance et/ou la détente avec laquelle l'apprenant s'engage dans l'expérience. — La capacité de demeurer en contact avec le ressenti. — La volonté de s'impliquer concrètement et d'observer les situations présentes.
— La qualité de la représentation mentale, de l'accessibilité du matériel référentiel dans la mémoire à court terme et de la disponibilité de ces données dans la mémoire à long terme.	3. Le mouvement de l'expérience	— La capacité de communiquer les images intérieures (les analogies, les apprentissages antérieurs). — La capacité de demeurer alerte au développement expérientiel : disponibilité à recevoir de nouvelles données, capacité d'explorer des solutions et de les partager.
— L'intimité et le temps nécessaires pour dégager une signification.	4. La symbolisation	— La disponibilité à rechercher activement sans forcer la signification ou l'orientation. — La qualité de la rétroaction verbale ou écrite. — La motivation à partager et à éprouver la nouvelle signification.
— La qualité de l'expression et du partage est nécessaire afin de créer une extension sur l'ensemble des expériences.	5. L'action expressive	— La qualité de l'expression : exactitude du contenu, du choix ou des interlocuteurs. — La possibilité de faire une synthèse afin de posséder complètement son expérience.

Notes

1. Inspiré du texte de Noiseux, G. (1984), *op. cit.*, p. 16.

2. La psychologie BCP (behavior, control, perception) élaborée par Glasser sert d'élément de base pour que les conditions internes reliées à cette première phase du processus d'intégration puissent se réaliser.

   Tout le texte traitant de l'approche de Glasser ainsi que la figure 3 sont tirés du livre : Glasser, William, *États d'esprit*, Ed. Le Jour, Montréal, 1982.

3. Une erreur perceptive entraîne toujours un signal (signal chimique ou électrique qui se produit dans le cerveau, réalité neurologique qu'on ne peut ignorer) ayant pour seule fonction, d'activer le système de comportement afin de réduire cette erreur perceptive. Toutefois, signalons que l'augmentation de l'erreur perceptive provoque une expérience désagréable et que la réduction de l'erreur crée au contraire, une sensation agréable (Glasser, 1982).

4. Angers, Pierre, Bouchard, Colette, *L'activité éducative, de l'expérience à l'intuition*, Éd. Bellarmin, Montréal, 1985, p. 25.

5. *Op. cit.,* p. 40.

6. Noiseux, G. (1984), *op. cit.*, p. 16.

7. Bandler, Richard et Grinder, John, *Les secrets de la communication*, Éd. Le Jour, Montréal, 1982, p. 121.

8. Le Dr Georgi Lozanov s'intéresse aux phénomènes suggestifs. D'après lui, l'attitude joue un rôle capital dans la suggestion.

9. Lerède, Jean, *Suggérer pour apprendre,* Presses de l'Université du Québec, Québec, 1980, pp. 83-84.

10. Une simple image pour illustrer les réserves du cerveau serait que nous utilisons seulement 4 % de nos cellules cérébrales, les 96 % qui restent sont les réserves qu'il s'agit d'activer. L'activation de ces réserves du cerveau, un des mots clés de la théorie lozanovienne, s'effectue par l'influence de l'environnement, de l'attitude, de l'inconscient et du conscient. De plus, les réserves sont activées quand l'apprentissage favorise l'utilisation de l'imagination, de l'intuition, de la créativité (fonction de l'hémisphère droit du cerveau) ainsi que la pensée logique et rationnelle (fonction de l'hémisphère gauche) qui elle vient nommer et préciser l'expérience en cours. Cette utilisation concomitante des fonctions du cerveau vise à conjuguer les effets et à tirer le maximum des réserves du cerveau ou des possibilités de l'être humain.

11. Saferis, F., *op. cit.*, p. 94.

12. Hesse, Herman, *Demain,* Stock, Paris, 1946, p. 120.

13. Assagioli, Roberto, *Psychosynthèse*, Éd. Épi, Paris, 1976, p. 135.

14. Godefroy, Christian H., *La dynamique mentale,* Robert Laffont, Paris, 1976, p. 147.

15. *Op.cit.*, p. 152.

16. Noiseux, Gilles, L'expérience d'apprentissage et l'acte pédagogique, *Perspectives,* vol. 2, n° 1, février 1985, Montréal, pp. 10-19.

17. Afin d'éviter toute confusion possible dans les termes, rappelons les définitions suivantes : signification, c'est la valeur et le sens attribués aux différents éléments du vécu ; symbolisation, c'est la traduction ou la transcription sous une forme verbale ou visuelle d'un senti, d'un pressenti d'où émergera la signification.

18. Garneau, J., Larivée, M., *op. cit.*, p. 176.

19. Le journal de bord et la rétroaction sont décrits tant pour les conditions internes que pour des événements externes. Dans ce chapitre, nous démontrons que leur utilisation crée des conditions internes favorables à la symbolisation.

20. Noiseux, Gilles, *La sophropédagogie,* conférence prononcée au IIIe Congrès mondial de sophrologie, Bogota, août 1982.

21. Paré, André, *Le journal instrument d'intégrité personnelle et professionnelle,* Centre d'intégration de la personne inc., Québec, 1984, p. 25.

22. *Op. cit.*, pp. 28-30.

23. Noiseux, G. (1974), *op. cit.*, p. 14.

24. Clouzot, O., Bloch, A., *op. cit.*, p. 177.

25. Ce texte sur les qualités de l'expression et des échanges provient du livre de Garneau, J., Larivey, M., *op. cit.*, p. 50-57.

26. Clouzot, O., Bloch, A., *op. cit.*, pp. 77 et 79.

5

LES INDICATEURS DES ÉVÉNEMENTS EXTERNES

À la complexité des conditions internes s'ajoutent des événements externes qui, par interaction, chercheront à favoriser le déroulement de l'expérience d'apprendre. Les événements externes, tels que traités dans cette étude, se limitent à l'interaction entre l'apprenant et l'intervenant et aux outils pédagogiques utilisés pour favoriser le processus d'intégration des apprentissages.

Laisser à lui-même dans son processus d'apprentissage, l'apprenant risque de « rester en deçà de ce qu'il peut et doit devenir[1] » ou accomplir en terme d'intégration. Bien que la progression de l'individu dépende des conditions internes, les événements externes sont tout aussi importants en termes de qualité et de quantité pour qu'il évolue dans son environnement et intègre ses apprentissages.

Première phase : disponibilité et motivation

■ Qualité de l'engagement, un préalable

Avant de s'engager dans l'expérience, il s'avère nécessaire que les principaux acteurs se demandent dans quel état d'esprit s'amorce cet apprentissage. D'abord, pour qui et pour quoi l'intervenant accepte-t-il de remplir ces fonctions ? Pourquoi l'apprenant, s'il a le choix, désire-t-il s'engager avec cet intervenant dans ce processus d'apprentissage ? Il importe de répondre à ces questions. Les réponses influenceront sans aucun doute l'atmosphère créée au cours de l'apprentissage. Dans le but de favoriser un climat propice, le partage ou l'expression de part et d'autre des attentes, des craintes, des messages anti-suggestifs peut être un excellent moyen de suggérer à la personne : « Qu'elle n'est pas la seule à vivre de l'anxiété par rapport à la nouvelle expérience ».

Même en effectuant cet échange, il appert que le formateur évite de partir avec l'*a priori*, que si le contact est bien établi avec le ou les apprenants, ceux-ci vont s'engager facilement dans une expérience. La réaction de recul face à la nouveauté se situe en dehors des attitudes de confiance et d'abandon versus les résistances. L'apprenant a besoin d'être apprivoisé non seulement lors des premiers contacts mais aussi lorsqu'on lui présente de nouvelles notions ou expériences à vivre. L'intentionnalité doit être suscitée pour que le projet d'apprendre devienne significatif.

Reconnaître les objectifs et favoriser leur atteinte nécessitent certaines conditions de la part de l'intervenant, dont la principale est le respect des intentions de l'apprenant. Mais :

> Comment parvenir à ce respect ? La première chose à faire, c'est d'être honnête. La deuxième chose, c'est d'accepter les exigences de l'honnêteté. [...] Le respect de la personne comprend l'accueil de tout en elle, puis l'admiration pour tout en elle [...] pour toute sa réalité [...] Une personne qui fait l'expérience d'être écoutée, de s'apercevoir que son interlocuteur a trouvé du merveilleux chez elle, vit ! [...] On devine la délicatesse et la perspicacité nécessaires à l'éducation de ce regard intérieur sur soi-même. Car la personne aidante éduque de la sorte non pas en enseignant, mais en écoutant, puis en reflétant seulement le contenu, même implicite, des paroles et des gestes observés chez l'aidé[2].

Ainsi, l'individu a besoin d'être accueilli avec ses attentes et il a aussi besoin d'être recueilli. « J'ai bien dit recueilli. Car ce verbe signifie '' être ramassé '' [...] Le premier rôle d'une personne qui écoute, c'est d'être une corbeille, qui peut vraiment accueillir, donc recueillir[3]. »

■ Contrat d'apprentissage

Dans le but de bien accueillir et recueillir l'apprenant, l'intervenant peut l'aider à verbaliser ses intentions à différents niveaux. Le contrat d'apprentissage[4] est un instrument qui permet justement l'élaboration des intentions de l'apprenant puis la transcription de ceux-ci en objectifs d'apprentissage. Ce contrat sert à rendre la personne plus responsable et plus motivé face à son apprentissage. Il vise aussi à répondre aux besoins et/ou aux objectifs d'apprentissage tout en respectant le rythme et le profil pédagogique. Les principales composantes du contrat d'apprentissage sont : les objectifs de formation et d'apprentissage poursuivis, les activités et les outils pédagogiques privilégiés, les ressources matérielles et humaines mises à sa disposition pour réaliser ses apprentissages et la forme d'évaluation utilisée pour évaluer ses acquis.

Le contrat d'apprentissage ne remplace pas les échanges possibles entre les parties impliquées. Au contraire, cette méthode nécessite des rapports plus étroits entre les différentes instances. Le contrat est vraiment un moyen de négociation entre d'une part les exigences externes (organisme, maison d'enseignement, intervenant) et d'autre part les intentions et les objectifs de l'apprenant en quête de connaissances et d'expériences.

▪ Distinction entre les intentions et les objectifs

Le formateur aura à accorder une attention toute particulière lors de l'établissement du contrat pédagogique afin de bien distinguer les intentions des objectifs d'apprentissage. L'utilisation de la situation fictive de Judith facilitera cette distinction.

EXEMPLE

Rappelons-nous que Dominique, grâce à un voyage antérieur au Guatemala, a su communiquer avec enthousiasme la beauté de ce pays à Judith. Cette communication a créé, chez cette dernière, un état intérieur suffisamment motivant pour désirer s'inscrire à des cours de langue espagnole. Si l'intention de Judith est assez grande, elle va consciemment canaliser ses énergies pour rechercher l'information pertinente dans le but d'atteindre l'objectif visé : apprendre la langue espagnole.

Ici, l'intention peut se définir comme « un mouvement anticipé de l'organisme en vue d'une relation spécifique entre l'individu et son environnement[5] ». Cependant, il faut distinguer deux sortes d'intention : le terme besoin et le terme projet. *Le besoin* est une intention (un mouvement anticipé) qui se produit à la suite du traitement de l'information plus spécifiquement au niveau de la dimension affective présente dans l'organisme ; il est une mobilisation de l'énergie de la personne. L'intention apparaît alors dans l'expérience d'un individu comme un mouvement spontané, qui semble requis, sans qu'aucun raisonnement logique ne soit nécessaire. *Le projet*, quant à lui, est une intention (un mouvement anticipé) qui se produit à la suite du traitement cognitif de l'information présente dans l'organisme ; il est l'image d'une situation ou d'un état que l'on peut atteindre[6].

Une autre distinction mérite d'être apportée, celle de l'objet du projet (objectif) et les intentions ou les raisons qui incitent l'apprenant à adhérer au projet et aux objectifs visés. Ainsi, « l'intention appartient à la personne qui décide de s'engager et l'objectif appartient à la logique même de l'opération qu'il faut mener[7] ».

Cette distinction est fort importante car l'apprenant peut s'entendre avec l'intervenant pour que l'objectif à poursuivre soit de « connaître les principales notions ayant trait à... ». Par contre, les intentions réelles du sujet et des autres personnes peuvent différer suffisamment sur le choix des actions à entreprendre pour la poursuite de l'objectif, de sorte que les intentions de l'intervenant et de l'apprenant ne vont pas sans influer sur leur motivation dans l'atteinte du but. Il s'avère donc essentiel, lors de la formulation des objectifs, de tenir compte des intentions qui peuvent modifier la réalisation des objectifs visés, des expériences antérieures et des doutes qui habitent l'individu. Des informations cachées, des intentions inavouées jouent un rôle important sur la motivation et la disponibilité nécessaire à l'apprentissage.

Suivant ces définitions, nous pouvons donc parler de l'intention de Judith de s'inscrire à des cours de langue espagnole comme étant un projet puisqu'elle désire par cet apprentissage faciliter ses déplacements et ses interactions avec la population.

Intentions convergente et divergente

Toutefois, l'intention du voyage pourrait être de l'ordre d'un besoin, par exemple, aller rejoindre des amis de longue date qui travaillent depuis un an comme coopérants au Guatemala. Apprendre la langue espagnole lui permettra d'être davantage avec ses amis sur le terrain (dimension affective) et de mieux comprendre les interactions avec la population autochtone (dimension cognitive). D'après cet exemple, il devient difficile de dissocier complètement les dimensions cognitive et affective surtout lorsque ces dimensions convergent vers le même but.

Cependant les traitements de l'information peuvent aboutir à des intentions divergentes. *Prenons le cas où Judith serait engagée comme coopérante au Guatemala. Pour répondre davantage à sa façon d'apprendre, elle peut décider de faire son apprentissage de la langue lorsqu'elle sera au Guatemala (besoin), même si le contrat stipule l'apprentissage de cette langue avant son départ (projet). Elle est donc confrontée entre son besoin et les conséquences à subir si elle y répond.*

Cette divergence entre les deux sortes d'intention revêt de l'importance dans le cadre de l'apprentissage, spécialement lorsque l'apprenant se doit de suivre les nouvelles orientations dont l'organisme s'est doté ou lorsque la maison d'enseignement détient un profil académique très précis pour l'obtention d'un diplôme.

Évaluation des objectifs

Il est important de ne pas prendre pour acquis qu'un objectif choisi conjointement et bien élaboré se réalisera. Combien de fois l'élaboration des objectifs d'apprentissage, qui a mobilisé temps et énergie, est repris par l'intervenant et l'apprenant uniquement à la fin de sa formation parce que l'organisation exige une évaluation ! Entre temps, les parties engagées ont fonctionné tant bien que mal en ce qui a trait à la tâche à accomplir et à leurs interactions. L'élaboration des objectifs d'apprentissage est un outil de travail et non un exercice académique qu'il faut faire pour répondre aux normes et standards. Pour ce faire, il est nécessaire de ne pas les perdre de vue.

Ainsi, les parties engagées dans l'expérience auront à se donner comme mot d'ordre de réviser régulièrement, de part et d'autre et par la suite conjointement, les objectifs fixés. Quelques questions pourront aussi orienter leur analyse : « Quelles furent les actions posées face à cet objectif ? Quels sont les résultats obtenus jusqu'à présent ? Quel est mon degré de satisfaction ? Est-ce que cet objectif est toujours pertinent ? Y a-t-il des modifications à y apporter ? Quelles actions ai-je l'intention d'entreprendre maintenant ? »

Cette évaluation sommaire et une rétroaction régulière permettent aux personnes engagées de tendre vers une cohérence. Ils limitent l'écart entre ce qui est fixé et ce qui se fait en réalité ; ils favorisent la perception d'une cible commune et les moyens d'action à entreprendre pour la poursuite des objectifs. L'échange des perceptions sur la performance et l'atteinte des objectifs permet de stimuler le sujet et de favoriser son processus d'intégration des apprentissages. Identifier les balises, les attentes, les résultats permet à l'apprenant de se voir évoluer, de faire corps avec ses apprentissages et guide l'intervenant dans l'évolution du processus.

■ Autorité-confiance

À travers cette relation à établir entre l'intervenant et l'apprenant subsiste tout le rapport de l'autorité. Rappelons qu'il faut entendre par ce terme l'estime qu'on éprouve pour les qualités personnelles et professionnelles d'une personne.

Dans un contexte d'apprentissage, il est nécessaire que le formateur soit conscient de son pouvoir de référence, de son rôle d'expert et de facilitateur. Se reconnaître et être confortable dans le rôle et le statut accordés permet de laisser de côté le terme « autorité » avec ses connotations négatives. Dans un climat où l'expression et les découvertes sont encouragées, la notion d'autorité devient presque inexistante. Toutefois, ce climat n'est possible que si l'intervenant développe l'attitude de voir en lui-même les choses telles qu'elles sont.

> Le vrai éducateur doit vouloir lâcher prise, doit consentir à être dans l'erreur, à permettre à l'enseigné une autre réalité. L'enseigné qui a été encouragé à entendre une autorité intérieure, à écouter le guide... en lui, est tacitement encouragé à n'être pas d'accord. Il est libre de s'aventurer[8].

Jeux de pouvoir

La dimension de l'autorité ne va pas sans la dimension de confiance. En effet, être en apprentissage suppose que le sujet s'expose à des difficultés de parcours, à une incapacité temporaire à solutionner un problème. Il révèle ainsi son ignorance sur certains points. Dès lors, il est en position de vulnérabilité et craint d'encourir des reproches, des remises en question, etc. Dans le but de réduire sa vulnérabilité, l'apprenant peut essayer de manipuler la situation en la contrôlant. Il tentera peut-être de séduire l'intervenant par la flatterie, ou de redéfinir la relation en voulant résoudre ses problèmes personnels au lieu d'exposer son travail, ou encore de cacher de l'information ne rapportant que les situations qui le mettent en valeur.

Toutefois, pour jouer ces jeux, il faut la collaboration de deux joueurs qui ont des gains à retirer de la situation ; ne serait-ce que de se sentir apprécié et aimé de part et d'autre.

Le formateur peut lui aussi utiliser une série de jeux lorsqu'il est incertain de son autorité et n'ose pas l'utiliser. Dans cette situation et à cause de sa propre vulnérabilité, il tentera peut-être d'augmenter son pouvoir en laissant peu de place à la négociation. Il peut aussi abdiquer son pouvoir en cherchant l'approbation ou la sympathie de l'apprenant à son égard.

L'utilisation de l'un de ces jeux est très courante. La position de vulnérabilité dans laquelle chacun est placé incite à des comportements qui camouflent les craintes et tentent d'enrayer l'erreur perceptive, suivant la théorie de Glasser. Toutefois, poursuivre la relation dans ces conditions, c'est refuser la possibilité de créer de véritables échanges.

FIGURE 5

PNL : Indices visuels des canaux d'accès (chez un droitier)

Yeux en haut
et à droite

Yeux en haut
et à gauche

Tension dans les épaules

Respiration courte dans
le haut de la poitrine

Visuel — *construction* d'images : projets et prévisions.
(Elles peuvent se rapporter au
passé pour « reconstruire » un
souvenir imprécis.)

Visuel — *souvenir* d'images,
avec détails précis. (Passé
objectif ou subjectif.)

Yeux au niveau, au centre,
un peu hors focus.

Accès global : dans un état
de conscience plus ouvert
à la perception interne.

Yeux au
niveau et
à droite

Yeux au
niveau et
à gauche

Épaules un peu en arrière
(position du saxophone)

Respiration régulière,
au diaphragme.

Auditif — *construction* de sons,
phrases, mots à dire.

Auditif — sons, mots, phrases
qu'on se *rappelle.*

Yeux en bas
et à droite

Épaules déten-
dues, un peu
tombantes.

Respiration lente,
profonde au niveau de l'abdomen.

K : Kinesthésie — perception
des réactions corporelles,
lien important avec les sentiments.

Yeux en bas
et à gauche

Mains touchant
le visage ou
la tête.
(Position du
téléphone)

Auditif — dialogue interne, où
on peut donner plus d'importance aux faits (plus à gauche)
ou au ressenti (plus au centre).

La seule solution pour faire face aux problèmes des jeux, c'est de refuser de jouer et de tenter d'éclaircir la situation ressentie comme « dangereuse ».

■ Système sensoriel

Dans le but de rejoindre l'individu dans ses objectifs d'apprentissage et de créer un climat propice, l'utilisation de la programmation neurolinguistique (PNL) s'avère un outil intéressant. Il permet à l'intervenant de connaître le profil de l'apprenant et d'utiliser le même langage que celui-ci.

D'après la théorie de la PNL, l'être humain subit des réactions physiques identiques lorsqu'il reçoit une stimulation qui fait appel à l'un ou l'autre des systèmes sensoriels. L'individu privilégie un sens pour communiquer, pour organiser sa représentation des événements[9] (figure 5). Le système de représentation privilégié est celui auquel l'individu est le plus sensible et dans lequel il est capable de faire les distinctions les plus fines[10].

Le style de communication ou l'utilisation d'un des sens spécifiques est signalé non seulement par le mouvement des yeux mais par la respiration, la tonalité de la voix, le rythme verbal. De plus, les prédicats utilisés permettent de déterminer le système sensoriel interne utilisé.

En connaissant et en adoptant le même système sensoriel que l'apprenant, l'intervenant s'adresse directement à l'inconscient de l'interlocuteur pour établir un contact et favoriser ainsi un changement. D'après Watzlawick, l'intervenant doit se faire caméléon plutôt que rocher de Gibraltar. De cette façon, il atténue les craintes et les résistances puisqu'il reconnaît le fonctionnement interne de l'apprenant.

Le tableau 3 permet de mieux comprendre comment l'intervenant peut s'adresser à l'apprenant en utilisant les prédicats selon le système sensoriel de ce dernier[11].

■ Relaxation et centration

Durant cette première phase, la disponibilité et la motivation, l'intervenant doit s'assurer du degré d'ouverture, du seuil de réception des canaux sensoriels et de la qualité de l'intrant de l'apprenant. Pour ce faire, il est amené, d'une part, à vérifier s'il n'y a pas d'erreur perceptive ou trop de messages anti-suggestifs eu égard à l'apprentissage et, d'autre part, à inviter le sujet à être attentif et à se rendre disponible mentalement et physiquement à l'expérience en cours.

TABLEAU 3

COMMUNICATION SUIVANT LE STYLE SENSORIEL

Message que l'on désire communiquer	Communication utilisant le médium kinesthésique	Communication utilisant le médium visuel	Communication utilisant le médium auditif
Je (ne) vous comprends (pas).	Ce que vous dites a (n'a pas) de bon sens pour moi.	Je (ne) vois (pas) ce que vous dites.	Je (ne) vous entends (pas) clairement.
Je veux vous communiquer quelque chose.	Je veux vous mettre en contact avec quelque chose. Je veux que vous soyez touché par quelque chose.	Je veux vous montrer quelque chose (un portrait).	Je veux que vous écoutiez de près ce que je vous dis.
Décrivez-moi davantage votre expérience.	Mettez-moi en contact avec ce que vous sentez à ce moment-ci.	Faites-moi un portrait clair de ce que vous voyez (de votre perspective) à ce moment-ci.	Racontez-moi avec plus de détails ce que vous dites à ce moment-ci.
J'aime l'expérience que l'on fait à ce moment-ci.	Ça me touche ce que nous faisons. Je me sens bien avec cela, avec ce que nous faisons.	Cela me paraît très clair.	Cela sonne bien.
Comprenez-vous ce que je dis ?	Est-ce que vous sentez bien avec quoi je vous mets en contact ?	Voyez-vous ce que je vous démontre ?	Est-ce que ce que je vous dis sonne bien pour vous ? Entendez-vous ce que je vous dis ?

État de relaxation

Pour que s'effectue l'activation des réserves du cerveau et par conséquent la disposition mentale et la détente, il est nécessaire que l'individu soit déconnecté des schèmes habituels. L'état de relaxation (qui se situe entre la veille et le sommeil, grâce au système réticulaire[12]) peut se comparer au pré-assouplissement dans la phase initiale du sommeil. Ceci permet à la déconnexion de s'effectuer tout en obtenant un niveau de conscience particulier, c'est-à-dire que la conscience se maintient elle aussi à ce stade intermédiaire de pré-assouplissement. Le moment de déconnexion est le moment où se produit les phénomènes par lesquels la thérapeutique peut avoir une action. Le « verbe » s'adresse en réalité à l'être irrationnel, émotionnel et viscéral par la déconnexion organismique. L'individu se trouve dans un état de conscience intermédiaire et dans un état de relâchement musculaire complet. Il est disponible à tout ce qui, dans son expérience sensible, vient vers lui[13].

Support vocal

Si l'on ajoute à la relaxation un support vocal — timbre, inflexion — cela peut exercer un pouvoir de pénétration chez l'individu. Car le langage perçu peut s'adresser à toutes les sphères de la conscience, du message purement intellectuel au message destiné à atteindre le niveau des émotions. Le support vocal se fait à l'aide de l'utilisation du Terpnos Logos (voix neutre telle qu'employée en sophrologie, relaxation, imagerie mentale). C'est un message doux, lent, harmonieux, qui invite à la détente, à la paix, à l'harmonie intérieure. Le Terpnos Logos se définit comme un langage persuasif employé avec l'intention d'influencer favorablement la conscience. Les effets sont doubles : celui d'éveiller l'attention et celui de la porter sur le message qu'il renferme. Ce double effet pénétrant amène des modifications de la conscience (niveau de conscience plus élevé) chez l'individu.

Le Terpnos Logos est en fait une forme de suggestion qui peut s'utiliser à l'état de repos comme à l'état de veille. Tous les messages directs qui invitent à détendre les muscles sont ceux que l'on utilise à l'état de repos ou entre l'état de veille et de sommeil. Toutefois, tous les messages faits à l'état de veille, à l'aide du Terpnos Logos, sont utilisés afin d'attirer l'attention du sujet lors de certaines activités. Si l'apprenant devient anxieux ou hyperactif parce qu'il n'arrive pas à comprendre les notions enseignées, l'intervenant peut facilement attirer et maintenir son attention en s'approchant de lui (si cela est possible) tout en utilisant une voix calme, légèrement plus lente et monocorde. De cette façon, il suggère (un message) à son inconscient soit « de garder une attitude calme, même s'il ne comprend pas encore les notions enseignées ».

Sources d'information : les tensions

La relaxation permet de porter attention aux sensations corporelles et de constater jusqu'à quel point la tension s'est logée à notre insu dans une ou plusieurs parties du corps. Ces tensions sont des sources précieuses d'information sur la disponibilité mentale et physique de l'apprenant.

Dans le but d'avoir accès à ces informations précieuses, l'intervenant peut enseigner le procédé de « centrage[14] » qui permet à l'individu de repérer les changements qui s'opèrent en lui. Le « centrage » est un acte intérieur qui diffère des procédés « prendre conscience de ses sentiments » ou « faire le vide ». L'acte intérieur est un procédé naturel qui permet d'identifier une perception physique vague qui se trouve au-delà des points sensibles habituels.

▪ Résumé

Avant d'aborder la prochaine phase du processus d'intégration des apprentissages, rappelons les conditions internes et les événements externes qui caractérisent cette première phase. Si l'intervenant désire s'assurer de la qualité de l'intrant et du degré d'ouverture de l'apprenant, il serait souhaitable qu'il connaisse les intentions de ce dernier et établisse un contrat d'apprentissage. La création d'un climat propice à l'apprentissage permettra peut-être un bon équilibre dans la relation entre les pôles autorité et confiance. L'anxiété créée par le nouvel apprentissage, les incapacités temporaires, etc., pourraient être amenuisées par le partage des craintes et des peurs. Dans la même veine, si le formateur vérifie les erreurs perceptives, les messages antisuggestifs qui altèrent la qualité de l'intrant, probablement que la disponibilité et la motivation du sujet se modifieraient à l'égard de son apprentissage. Si l'intervenant s'adresse à l'apprenant dans son système sensoriel, il est possible que cela puisse avoir une influence positive sur l'ouverture des canaux sensoriels. Finalement, l'utilisation de la relaxation ou de la centration combinée au Terpnos Logos sont aussi des moyens qui favorisent l'induction d'un climat de détente et amènent l'individu vers une plus grande conscience de lui-même.

Tous ces moyens cherchent à conduire l'apprenant vers la deuxième phase du processus où il sera appelé à poursuivre l'expérience avec toute sa sensorialité et sa subjectivité.

Deuxième phase : exposition

Rejoindre l'apprenant dans ses intentions, c'est l'inviter et l'inciter à maintenir sa motivation ou du moins la volonté et le désir de mener à terme ses objectifs, puis à s'engager avec toute sa sensorialité et sa subjectivité dans l'expérience. Pour ce faire, il est appelé à s'engager dans des situations concrètes. Il s'avère important que ces situations soient problématiques pour lui afin qu'il ait la motivation de les résoudre et que son engagement dans l'expérience le mette davantage en contact avec sa subjectivité et sa sensorialité.

D'ailleurs, la technique du centrage de Gendlin amène l'individu à être en contact avec le ressenti, les images et les mots qui apparaissent et l'acheminent vers le dégagement de la signification de son expérience et la mobilisation de ses ressources. De plus, par le biais de la relaxation ou de la centration, l'intervenant est amené à mobiliser les structures de contrôle sur les plans cognitif et affectif. Il s'assure ainsi que l'implication et l'investissement fournis par l'apprenant soient durables.

On retrouve ces mêmes plans chez l'individu puisque dès que la conscience apporte une information, le plan affectif l'approuve ou la rejette. C'est pourquoi il est nécessaire de partir des intentions du sujet, de ses difficultés d'apprentissage afin que sa dimension affective soit « ouverte » et laisse ensuite la possibilité à la dimension cognitive d'entrer en action.

Adopter la croyance que celui qui apprend, et apprend avec tout son être, c'est aller très souvent à l'encontre de l'enseignement traditionnel qui veut nourrir avant tout l'intellect. D'ailleurs, l'individu qui craint d'éprouver certains ressentis, réclame rapidement de la théorie. En refusant ce regard intérieur, il ne peut que constater que la théorie il la possède déjà en lui.

Il est tout aussi tentant pour l'intervenant de se laisser prendre par la quantité de contenu à livrer, en délaissant les besoins et les intérêts des participants. De cette façon, la sensorialité et la subjectivité requises ne sont pas mobilisées pour favoriser l'apprentissage.

Modèle de l'apprentissage expérientiel

Le modèle de l'apprentissage expérientiel[15] est présenté à cette deuxième phase du processus d'intégration pour amener l'apprenant à investir et à s'engager dans l'expérience d'apprendre. Car ce qui est intégré provient de l'expérience vécue, de l'observation, de l'analyse des faits et de la compréhension du principe général sous-jacent. Ainsi,

Figure 6

PROCESSUS D'APPRENTISSAGE EXPÉRIENTIEL

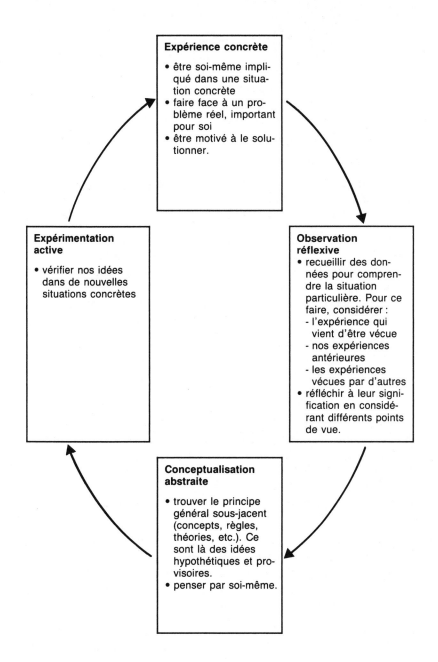

le modèle de Kolb et Fry souligne que le changement résulte des processus cognitifs d'analyse et de compréhension puis de l'intégration de l'expérience concrète émotive favorisant la motivation, l'assurance et la maîtrise de l'action.

L'apprentissage expérientiel est un processus intégré débutant premièrement, par une expérience dans l'ici et maintenant, suivi deuxièmement, par une collecte de données et d'observations à propos de l'expérience. Ces données sont, troisièmement, analysées et quatrièmement, les conclusions sont utilisées à nouveau pour modifier un comportement ou choisir de nouvelles expériences. La figure 6 permet de mieux saisir ce mouvement[16].

Expérience concrète

L'expérience concrète consiste à faire vivre à l'apprenant une situation d'expérience authentique dans laquelle se pose un problème réel qui permet de stimuler la pensée.

Le point de départ de ce processus consiste donc à prendre contact activement avec la réalité. Il est important que celui qui fait une expérience concrète soit un « acteur » et non un spectateur ou un témoin de l'expérience. S'engager dans l'action oblige l'individu à penser, à agir et à réagir à l'environnement. Cet engagement permet à l'intervenant de s'assurer que les structures de contrôle soient mobilisées.

Il importe donc que les problèmes soient réels, suscités par l'expérience en cours et qu'ils apparaissent importants pour la personne qui l'« expérencie » afin qu'elle ait le désir de les solutionner.

Observation réflexive

L'observation réflexive consiste à faire des observations sur l'expérience vécue et à réfléchir à leur signification en considérant différents points de vue. Cette phase est celle qui s'apparente le mieux avec la phase de l'exposition du processus d'intégration des apprentissages. À l'aide des questions posées sur l'expérience vécue, l'apprenant est appelé à s'engager avec toute sa sensorialité et sa subjectivité dans l'expérience.

Pour ce faire, il s'agira d'enquêter sur l'expérience vécue en posant certaines questions ouvertes. « Que s'est-il passé à tel ou tel moment ? Quelles actions furent posées ? Quelles furent les difficultés rencontrées ? Quelle atmosphère régnait dans la pièce ? Comment ai-je réagi ? Quelle fut l'attitude des autres ? »

À partir des observations obtenues, des impressions et des sentiments éprouvés, il est nécessaire de demander à l'apprenant de se remémorer les expériences antérieures qui présentent des similitudes ou des ressemblances avec la situation actuelle. Le rapprochement entre l'« experiencing » et ses expériences antérieures s'avère une précieuse ressource pour résoudre les problèmes spécifiques.

Au cours de cette phase, la pensée commence à interpréter les données, à établir des rapports entre les actions posées et leurs conséquences, puis à faire la découverte des principes généraux qui soustendent cette analyse.

Conceptualisation abstraite

La conceptualisation abstraite consiste à créer des concepts et à formuler des généralisations intègrant les diverses observations et réflexions. L'apprenant est donc appelé à dégager certaines significations relatives à la situation vécue.

Durant cette phase, la pensée doit imaginer, inventer et créer des liens entre les données recueillies à l'étape de l'observation réflexive. Cela veut dire que le sujet effectue lui-même l'analyse et la synthèse qui permettront de construire ses propres hypothèses ou principes, même si une théorie toute faite d'avance conduit aux mêmes résultats.

Expérimentation active

L'expérimentation active consiste à soumettre les concepts et les généralisations au test de la réalité.

L'apprenant est appelé à vérifier si les liens et les rapports imaginés, créés ou inventés existent réellement, si les résultats anticipés s'effectuent et si les solutions proposées résolvent vraiment les problèmes. Pour ce faire, il est nécessaire de les confronter à des situations concrètes, donc à les expérimenter.

Il ne s'agit pas à cette phase de vivre un nouvel événement mais de poser des actions réelles et concrètes qui sont en quelque sorte suggérées par les idées imaginées à l'étape de la conceptualisation abstraite.

■ Liens entre l'apprentissage expérientiel et le processus d'intégration

L'utilisation du modèle de l'apprentissage expérientiel facilite non seulement la deuxième phase du processus d'intégration, mais il engage la personne à investir, à s'utiliser et à se révéler à elle-même. Ce modèle peut aussi être utilisé pour favoriser les autres phases du processus. Dans la phase du mouvement de l'expérience, l'utilisation du modèle

Figure 7

MODÈLES COMPARÉS

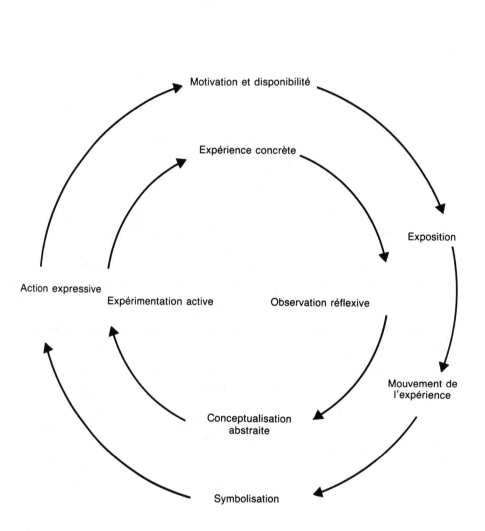

de l'apprentissage expérientiel favorise l'agrandissement de la représentation mentale. Dans la phase de symbolisation, il permet à l'apprenant de créer des liens entre la théorie et la pratique et de dégager une signification de son expérience.

Le processus d'apprentissage expérientiel s'apparente au processus d'intégration des apprentissages. Cependant, il se différencie dans le fait que le modèle de Kolb et Fry décrit le processus habituel suivi en recherche ou lors d'un processus de solution de problème, tandis que le modèle du processus d'intégration des apprentissages s'attarde aux processus interne et externe d'un apprenant placé en situation d'apprentissage. Afin de bien faire la distinction, la figure 7 illustre les deux modèles.

Troisième phase : mouvement de l'expérience

Il a été mentionné, lors de la description de la troisième phase du processus d'intégration des apprentissages, qu'en cherchant à identifier les ressentis et en les explorant par touches successives, l'expérience se précise et les nouveaux aspects expérientiels permettent à l'apprenant de se faire une image ou une représentation mentale de sa situation.

Certaines questions comme : « Que signifie pour toi... ? Qu'entends-tu par... ? Comment vois-tu... ? » etc., permettent à l'intervenant d'avoir accès aux images ou à la représentation que se fait la personne. Ainsi, le formateur peut s'assurer du traitement adéquat de l'information par l'entremise de la représentation mentale et aussi de l'accessibilité du matériel référentiel.

S'assurer de la qualité de la représentation mentale n'est pas une mince tâche, surtout dans un contexte d'enseignement. Lorsque les participants disent : « Oui, nous avons compris », et que finalement chacun espère que l'autre a mieux compris que lui les éléments demeurés obscurs. Le fait que nous interprétons les consignes à partir de nos expériences (dimensions cognitive et affective) a pour conséquence que notre compréhension diffère nécessairement les uns des autres. L'utilisation de l'analogie et de l'exemple peut grandement faciliter la création de la représentation mentale et éviter les écarts entre la consigne et l'interprétation de la consigne.

Mentionnons que d'autres techniques, telles que l'utilisation du jeu de rôle, de la visualisation et de l'imagerie mentale, sont des outils qui permettent d'avoir accès à plus d'informations sur cette représentation mentale ou sur le cadre de référence de l'apprenant.

■ Technique du jeu de rôle

La technique du jeu de rôle consiste, à partir d'une situation précise tirée d'un cas réel, à assigner des rôles aux participants. Ceux-ci représentent les divers personnages du cas réel et joueront le drame tel qu'il est vécu. Le but est de laisser vivre la situation présentée par les personnages choisis. Après quelques minutes de jeu, l'intervenant arrête la mise en scène et demande à chaque participant d'exprimer ce qu'il ressent.

Cette technique peut donc avoir des objectifs très différents tels que : entraîner l'apprenant à la pratique de certaines attitudes et de certains comportements professionnels (savoir-faire et savoir-être), le sensibiliser à la perception des sentiments d'autrui, etc. D'ailleurs, ce dernier objectif permet au sujet de connaître le référent direct de son interlocuteur (surtout s'il joue ce personnage) et de s'approprier davantage le sien par cette mise en scène.

L'utilisation de cette technique favorise l'accès à toute la sensorialité et la subjectivité de l'apprenant puisque c'est à partir du ressenti du personnage joué que se forme le référent direct ou la représentation symbolique.

Bien que le jeu de rôle soit un moyen qui incite l'individu à être en contact avec lui-même, il est aussi une invitation à manifester à l'environnement ce qui est intériorisé. Le rôle joué par l'apprenant devient en quelque sorte un miroir qui lui permet de constater un certain nombre d'éléments demeurés jusqu'à présent à la périphérie de sa conscience. En somme, en se révélant à lui-même, il est amené à constater ce qu'il est et ce qu'il recherche[17].

> J'ai été étonnée de me voir me lancer dans un rôle me plaçant bien en évidence. Cependant les autres rôles, non connus pour moi, me paraissaient plus menaçants. [...] J'ai eu peur quand j'ai eu à apprendre mais ça m'a servi parce que maintenant je sais et je peux investir dans autre chose et ressentir de la satisfaction.

De plus, l'utilisation de la rétroaction après un jeu de rôle permet à la personne d'objectiver davantage ses comportements.

> Le jeu de rôle superviseur-supervisé a été quelque peu pénible. Nous étions tous les deux très impliqués. Nous avons pris cela au « sérieux » et voulions apprendre. [...] Nous nous sommes apportés un feed-back mais c'est comme si on voulait justifier une attitude. [...] Par la suite, j'étais contente que nous. l'ouvrions devant le groupe même si ce n'était pas facile. Je crois que le feed-back des autres est une bonne

façon d'apprendre quand ce n'est pas blâmant et je me sentais en confiance.

Le jeu de rôle peut favoriser l'introspection mais aussi l'évaluation et les moyens par lesquels l'apprenant veut dorénavant procéder. De cette façon, il commence à créer une représentation mentale de ses futures actions.

> Dans cette situation [...] j'ai procédé de manière intuitive en me référant à mes expériences passées. Cependant je n'avais pas vérifié la disponibilité émotive du stagiaire et son mode d'apprentissage. Le lien de confiance facilement établi et la volonté du stagiaire de réussir ont sûrement contribué aux résultats obtenus mais à l'avenir je serai plus alerte à me centrer sur le stagiaire et non pas prioritairement sur la tâche.

Le jeu de rôle est donc un outil qui peut s'utiliser à plusieurs phases du processus dépendamment de l'objectif poursuivi. Cependant, se limiter presque uniquement à cet outil risque de créer l'impression d'une redite. Ce qui, par conséquent, pourrait entraîner une baisse de motivation et d'engagement de l'apprenant. Et sans cette motivation et cette disponibilité, personne ne peut apprendre quoi que ce soit.

▪ Visualisation et imagerie mentale

Une autre façon de vérifier la représentation mentale est l'utilisation de l'imagerie mentale ou de la visualisation. Rappelons que le terme visualisation signifie une image volontairement choisie de quelque chose de déjà vu, mais présentée d'une manière nouvelle.

Par l'utilisation de la visualisation, l'apprenant peut évoquer une image ou une série d'images qui représente la nouvelle situation à vivre. Ainsi, l'intervenant peut avoir accès à ce que représente cette expérience pour l'individu. À partir de cette représentation mentale, il est possible d'acheminer l'imagination du sujet vers d'autres images qui évoquent, par exemple, un moyen agréable qui lui permettra d'atteindre ses objectifs.

Ce procédé peut s'utiliser aussi lors d'une recherche de solution de problème ou du processus de suggestion-désuggestion, ou en PNL comme technique d'ancrage. En effet[18], lors d'une nouvelle expérience, très souvent l'apprenant vit une période de doute par rapport à ses capacités et à ses connaissances. Donc, dans un état de centration et à l'aide de l'intervenant, le sujet peut se représenter certaines séquences ou certaines images d'une expérience, telle que le rappel des apprentissages réussis, afin de transposer certains éléments de cette expérience positive à un nouvel apprentissage.

Conditions de l'utilisation

Afin de bien utiliser les techniques de visualisation et d'imagerie mentale, il existe quatre conditions. La première est la motivation[19]. Il est nécessaire que la personne soit directement concerné par la situation. La deuxième est l'utilisation de la relaxation ou l'état de détente dans le but de favoriser une prise de conscience du corps et un certain état modifié de la conscience (celle de l'état entre la veille et le sommeil). La troisième est celle de la concentration intérieure où le sujet est tourné vers son monde intérieur. La quatrième est celle de l'objectivation visuelle. À cette étape, il est nécessaire que la personne se visualise comme réalisant et réussissant l'objectif poursuivi.

Par la visualisation et l'imagerie mentale, l'apprenant s'éloigne temporairement du monde rationnel et intellectuel afin d'évoquer, par image et en peu de mots, la réponse présente en lui. Ce moyen permet autant à l'imagination qu'à la raison de se côtoyer et apporte ainsi un équilibre entre les hémisphères gauche et droit du cerveau, principalement lorsque l'intervenant favorise l'expression de l'expérience vécue.

▪ Consignes pédagogiques

Outre l'utilisation du jeu de rôle, de visualisation et de l'imagerie mentale, le formateur est appelé à utiliser des consignes pédagogiques qui mobilisent et activent les images mentales et qui forment la représentation symbolique ou le référent direct. Ces consignes sont « les re-dire et les re-voir » dans sa tête... Elles mobilisent et activent ainsi le savoir et le savoir-faire.

En effet, les travaux de Antoine De La Garanderie[20] exploitent le modèle de double codage symbolique de Paivio (1971). Il s'est rendu compte, que si certains sujets se redisaient ce qu'ils avaient entendu, ils ne parvenaient pas à revoir et, vice et versa, pour ceux qui parvenaient à revoir mentalement ce qu'ils avaient vu, ils n'arrivaient pas à redire ce qu'ils avaient entendu. Ainsi, l'utilisation de consignes pédagogiques en plusieurs circonstances permettent de mobiliser et d'activer ces deux sortes d'images mentales. En conséquence, il ne sera pas demandé à l'apprenant d'être attentif ou de faire un effort pour comprendre mais bien :

> [...] de regarder, avec le projet de faire exister mentalement grâce aux images la chose perçue. Ou : écouter avec le projet de faire exister mentalement grâce aux images auditives, la chose perçue. [...]

On lui accordera du temps pour accomplir ce geste mental, qui correspond au premier sens du mot comprendre (prendre avec soi) [...] ou faire exister mentalement [...] et se rendre compte qu'il comprend au second sens du mot (comprendre), c'est-à-dire s'il a l'intuition des rapports, l'intelligence du sens de cet objectif[21].

Ce moyen suggéré comporte non seulement le geste mental de l'attention mais joue un rôle important sur la représentation mentale du sujet et sur l'accessibilité de ce matériel référentiel à chaque moment de son apprentissage. Il va s'en dire que cela a un effet sur la mémorisation car à l'aide « des re-dire et des re-voir » le contenu enseigné et à acquérir n'est pas extrait de son contexte et facilite ainsi le processus d'engrammation qui, d'après Noiseux[22], consiste à fixer dans la mémoire, les faits, les informations, les habiletés et les connaissances qui font partie du répertoire des compétences que chacun se constitue au fil de ses expériences.

Autres outils pédagogiques

Dans cette rubrique, certains outils tels que la sculpture, le rêve, le dessin et l'utilisation de l'audio-visuel seront étudiés. Ces outils ont pour but de favoriser la création et la modification de la représentation mentale de l'apprenant, puis de l'acheminer vers la quatrième phase du processus d'intégration. La description de ces différents outils sont présentés ici en tant que support à l'intervention pédagogique. L'intervenant aura d'abord à préciser le but qu'il poursuit en utilisant l'un de ces outils et à tenir compte de l'évolution des phases d'apprentissage de l'apprenant.

Dans le but de respecter un des principes du processus d'intégration des apprentissages, il s'avère nécessaire, qu'après l'utilisation d'un de ces outils pédagogiques, le sujet puisse partager son expérience. De cette façon, il pourra davantage nommer et identifier l'expérience vécue.

Sculpture

Cette technique s'apparente à celle du psychodrame utilisée par Moreno et permet à l'individu « d'habiter » le personnage choisi afin de compléter la représentation mentale. Cette technique permet aussi de révéler à la personne un vécu plus ou moins conscient. Voici un témoignage qui permet d'illustrer les effets de cette technique[23].

[...] Je visualise bien ma statue. Jusque-là ça allait. Quand est venu le temps de devenir cette statue, là j'ai décroché [...] Je n'avais pas le goût d'embarquer [...] Je trouvais cela « charrié ». Je me suis conformée à la demande de ma partenaire. [...] J'ai fait un lien avec l'équilibre et mes pieds. Je n'étais pas bien dans la position de ma statue et j'ai modifié mes pieds pour trouver un équilibre satisfaisant. J'ai fait le lien avec ma vie et cet équilibre. Cela a été assez révélateur pour moi ; je suis en pleine période d'adaptation autant dans mon rôle de jeune mère et de nouvelle travailleuse après un arrêt de travail de 2 ans.

Rêve

L'utilisation du rêve a pour but de sensibiliser l'apprenant à cette source précieuse d'informations. Le témoignage suivant indique comment le rêve peut donner à l'apprenant, l'accès à de nouvelles données sur lui-même ou sur les événements vécus.

Après la relaxation nous avons pensé à un rêve. Ce à quoi j'ai rêvé : j'ai travaillé toute la nuit à l'exposé que je devais faire le lendemain. Ce fut un rêve très représentatif. L'après-midi l'exposé avait lieu, j'avais l'impression que tout mon corps se laissait aller.

L'utilisation de ces techniques pose souvent l'épineuse question de la limite entre l'intervention pédagogique et psychothérapeutique. Cependant, traiter ce sujet sous l'angle pédagogique (que m'enseigne le rêve ou la sculpture à cette phase-ci de mes apprentissages) reste une solution proposée.

Utilisation de l'audio-visuel

L'objectif visé en utilisant l'audio-visuel est d'amener le sujet à être davantage conscient de son image, de ses attitudes et de ses habiletés. Par ce moyen, chacun apprend à se voir, à s'entendre et à comprendre les critiques ou les remarques que chacun se formule intérieurement. De cette façon, l'individu se familiarise avec le matériel audio-visuel, cherche à améliorer ses interventions, apprend à s'objectiver et à augmenter la confiance en lui-même et envers les pairs. De plus, l'audio-visuel sert de reflet puisqu'il est un fidèle témoin des situations vécues et un support pour l'apprenant. Les prochains témoignages indiquent comment il peut favoriser l'apprentissage.

Bien loin de m'énerver cette expérience m'a stimulé à y référer plus souvent. Chose certaine, je trouverai un moyen de dédramatiser, de démystifier l'utilisation de l'audio-visuel pour mon ou ma prochaine stagiaire.

La vidéo est une excellente façon d'apprendre : l'observation du non verbal du praticien, du client, du supervisé ; les perches que tu as laissées passer ou pas ; les affiliations que tu as faites ou pas ; ton degré d'implication, d'empathie, etc.

L'utilisation de la vidéo pour l'exercice de ce matin me donne l'opportunité de faire de la supervision [en jouant le rôle du superviseur], mais aussi de me faire superviser et critiquer par d'autres. [...] Durant le jeu, je me sens à l'aise et je contrôle la situation. Ça se déroule à peu près comme je l'imaginais [...] À la fin, je suis satisfait, je n'ai pas paniqué, j'ai été empathique et lui ai fourni du support.

Dessin

L'utilisation du dessin permet à l'apprenant de se situer par rapport à sa perception de lui-même et de ce qui est en train de se former comme représentation mentale. D'après les témoignages cités, l'utilisation de cette technique révèle au sujet les images ou les perceptions de lui-même qui étaient plus ou moins bien définies.

[...] Mon portrait comme superviseure m'a permis de me visualiser. [...] Je me vois comme une personne sévère, rigide et j'ai été effrayée car je me doutais que j'étais exigeante, mais je ne me suis jamais rendue compte que mes structures étaient si rigides.

Mon dessin reflète en bonne partie mon état d'âme [...]. En effet, c'est en tentant de réviser mes expériences passées comme supervisée que je me suis rendue compte de l'absence de climat de confiance favorisant l'apprentissage. Mon dessin est composé de deux personnages : un très grand et l'autre petit. Le plus grand (superviseur) est entouré de « bla-bla » tandis que le supervisé a de grandes oreilles. Hé oui ! je me rends compte finalement que j'avais opté pour un apprentissage plutôt passif, c'est-à-dire « être à l'écoute ». [...] Ainsi en partant, ma perception du rôle de superviseur était faussée [...]. Il m'apparaît primordial que le rôle du superviseur soit clairement défini, expliqué avec le supervisé de façon à éviter toute ambiguïté qui nuirait au déroulement de tout ce processus d'apprentissage.

Quatrième phase : symbolisation

■ Soutien auprès de l'apprenant

L'un des rôles que le formateur doit remplir au cours de cette phase est celui de soutien auprès de l'apprenant lorsque celui-ci est en quête de sens ou de prise de signification à l'égard de son apprentissage. Conséquemment, l'intervenant est appelé à créer un climat où il est permis « de ne pas comprendre », de chercher, d'explorer et d'être momentanément incapable de performer.

Certaines consignes pédagogiques peuvent aider l'apprenant à prendre conscience de sa façon d'apprendre et de penser. Ces consignes ressemblent à : « Comment vous y êtes-vous pris pour arriver à cela ? Compte tenu de ce qui a précédé, que devrait-il se passer maintenant ? Qu'arrivera-t-il si... ? De quelle autre façon pourrait-on arriver à une solution ? Avez-vous déjà connu une expérience semblable ? » Ces questions ont pour but d'amener le sujet à comprendre ce qu'il sait et aussi à savoir comment il le sait. D'autre part, cela permet au formateur de connaître l'évolution de la personne dans un processus d'intégration.

La mise en place de l'échange et du partage peut s'avérer un moyen efficace pour favoriser la création de liens entre des images, des mots et le processus de symbolisation. Ceci a pour but d'élargir les données référentielles et de compléter ainsi le processus d'intégration[24].

■ Supervision du journal de bord[25]
Tout en étant un outil de croissance et de communication avec soi et les autres, le journal de bord permet également d'élargir les données référentielles.

Étant donné que la pensée circule à une vitesse très rapide, s'arrêter pour écrire oblige la personne à structurer davantage sa pensée et l'amène à nommer (avec l'hémisphère gauche) son pressenti ou ressenti (provenant de l'hémisphère droit du cerveau). L'écriture aide l'individu à verbaliser et à articuler sa pensée et à l'acheminer vers une prise de signification.

Mentionnons que cette signification apparaît dans le silence et que le formateur ne peut que supporter l'apprenant lorsque ce dernier se sent dans le vide, dans la non-signification. Il suffit d'être là, seulement là.

Avant de guider une personne, il serait souhaitable, voire indispensable, que l'intervenant ait vécu l'expérience du journal. Avoir connu les étapes, les difficultés, ce qui permet et favorise une telle expérience serait un atout précieux afin de mieux comprendre et mieux respecter le cheminement de l'apprenant.

Le premier élément à comprendre de la part du formateur, c'est qu'écrire, surtout pour celui qui n'en n'a pas l'habitude, est très difficile, voire menaçant. Il a besoin de s'apprivoiser et cela prend du temps puisqu'il lui faut apprendre à repérer ses résistances, respecter son apprentissage, puis à faire confiance au processus d'apprentissage et à la relation intervenant-apprenant.

Deuxièmement, lire un journal, c'est un peu comme déballer un cadeau dans lequel la personne offre ce qu'elle a de plus intense à communiquer à cette étape-ci de son cheminement. Ce cadeau devrait donc inspirer, à la fois, un grand respect et une reconnaissance pour avoir accès à une source si précieuse d'information.

Le journal de bord est un excellent instrument de rétroaction non seulement pour l'apprenant mais aussi pour l'intervenant. Ce qui est livré dans le journal, surtout si son auteur confie spontanément ses réflexions, est très souvent inacessible pour le formateur. Il est étonnant de constater qu'une phrase anodine dite par l'intervenant puisse créer un rebondissement dans le champ exploratoire de l'apprenant. En somme, le journal de bord permet d'être témoin de l'orchestration des connaissances des expériences vécues et de l'accomplissement dans le temps, du processus d'intégration des apprentissages.

La tâche du formateur consiste à établir un équilibre entre la compréhension, l'encouragement et le support à donner. La lecture du journal devra toujours demeurer confidentielle, à moins que l'intervenant soit formellement autorisé à le diffuser. D'autre part, la rétroaction de l'intervenant est très importante. La meilleure façon de démontrer de l'intérêt, c'est que celui-ci le lise fréquemment et rapidement (suggestion : lecture au 15 jours et retourné dans les 48 heures). Certaines qualités, que Rogers attribue au bon thérapeute, sont nécessaires de la part du lecteur : le *respect* de ce qui est écrit, de ce qui est caché, du processus d'écriture et d'introspection ; l'*acceptation* de l'autre tel qu'il est, pour ce qu'il est ; c'est accepter ainsi son rythme et sa capacité de se transformer ; enfin, l'*empathie* une autre qualité essentielle qui consiste à comprendre le schème de référence de l'autre ou de son monde intérieur et qui permet à l'intervenant de demeurer en communication avec l'apprenant, d'être l'observateur et le témoin de son évolution. Cette attitude de l'accompagnateur ne peut qu'inviter le sujet à être ouvert à ce qui se déroule en lui, avec cette partie de lui qui apprend.

Toutes ces qualités auront à s'exprimer de façon très concrète comme la façon d'accepter les fautes d'orthographe ou de style, d'écrire un commentaire, de faire une suggestion, d'écrire à la mine et d'accepter que l'apprenant enlève les commentaires, etc. C'est à travers cette façon de faire, que l'intervenant démontre du respect et de l'empathie à l'égard de la personne qui écrit.

Qu'il est absolument nécessaire de sauvegarder le droit de choisir ce qu'il (apprenant) veut partager et ce qui ne peut être partagé. [...]

Même dans un but de formation, de développement personnel et professionnel, rien ne justifie le droit de franchir le seuil de l'intimité[26].

Journal de bord, instrument d'autoformation

L'utilisation du journal de bord a aussi une autre portée. En effet, la parole, celle retrouvée dans les écrits, « n'a pas seulement une fonction de transmission d'information, elle a aussi une fonction de formation du sujet, en instaurant pour lui un espace de discours où il peut se comprendre[27] ».

L'écriture ramène constamment le sujet au ressenti et l'aide à l'articuler et à le verbaliser. Cela informe donc l'apprenant de ce qui se passe, de ce qui prend forme, de ce qui s'intègre en lui. Cette révélation à soi-même procure un matériel anecdotique qui a tout son impact dans la restructuration phénomènologique des référents qu'utilise habituellement la personne.

En cherchant à s'approprier son savoir intérieur, par le biais du journal de bord, la personne est susceptible de générer une autoformation et même une autoproduction de ses propres apprentissages.

Cinquième phase : action expressive

Avant que l'apprenant puisse expérimenter ses nouveaux acquis, il est essentiel de vérifier si celui-ci effectue bien les diverses phases du processus d'intégration. Il est possible de supposer que s'il y a un changement dans le comportement de l'individu, c'est qu'il y a eu un changement effectué au niveau du référent ou de la représentation mentale du sujet. Une façon de le vérifier c'est par l'intermédiaire de la verbalisation ou de l'expression des savoirs. En cela, nous revenons à la définition initiale qui dit que « le processus d'intégration est en quelque sorte une série de constatations, de synthèses et de significations successives, symbolisées et *exprimées* dans des *termes qui renvoient au savoir, au savoir-faire et au savoir-être* ».

▪ L'expression

L'expérience verbale ou écrite peut s'exprimer aux différents niveaux des savoirs mais aussi aux différentes phases du processus d'intégration des apprentissages. Lors de la phase de motivation, l'expression des intentions, l'élaboration du contrat d'apprentissage et l'apport d'une situation-problème de la part de l'apprenant sont des moyens qui permettent à l'intervenant de favoriser et de vérifier le déroulement du processus d'intégration.

À l'autre phase du processus — celle de l'exposition — l'intervenant peut aussi favoriser l'expression des ressentis ou de l'expérience sensorielle et subjective de la personne après une expérience vécue.

Il en va de même pour la troisième phase — le mouvement de l'expérience — où le formateur peut faciliter l'accessibilité du matériel référentiel et la représentation mentale de l'individu. L'intervenant, après un exercice de visualisation ou lors d'un jeu de rôle, peut demander à la personne d'identifier les ressentis, les images ou les représentations symboliques présentes lors de l'activité. Cette expression viendra sans aucun doute favoriser le dégagement de la signification, puisque c'est par l'exploration et l'abandon à l'expérience que surgit la signification.

La rétroaction fournie par l'intervenant peut permettre à l'apprenant de reconnaître l'acquisition des nouveaux apprentissages tant aux niveaux du savoir, du savoir-faire que du savoir-être. De plus, le partage des expériences, la rétroaction verbale ou écrite (par le journal de bord) sont des moyens qui peuvent favoriser et stimuler la personne à communiquer ses nouveaux apprentissages.

On peut aussi supposer que ces moyens peuvent créer une extension sur l'ensemble de ses apprentissages et, ce que l'apprenant a appris dans un contexte donné, il saura probablement l'appliquer ou le transférer dans un nouveau contexte au moment opportun.

Pour promouvoir le transfert ou la généralisation des apprentissages, il est nécessaire que le formateur s'assure de la présence des connaissances et des habiletés requises dans les données référentielles. L'utilisation d'exemples ou d'analogies facilitent le transfert d'un champ d'étude à un ensemble. La promotion du transfert est favorisée si l'intervenant présente régulièrement au sujet de nouvelles tâches qui font appel à ce qui a déjà été appris, en l'invitant à se poser certaines questions comme : « Où suis-je rendu ? Comment puis-je atteindre mes objectifs ? Qu'est-ce que je fais avec ce que je sais ? Qu'est-ce que je vais faire avec ce que je sais faire ? »

Ce rappel, ou le retour sur les apprentissages nouvellement acquis, sont importants puisque tout apprentissage s'effectue dans un mouvement de va-et-vient des éléments connus vers les éléments à connaître. Ce mouvement permet de joindre les connaissances acquises aux nouvelles connaissances à acquérir. La formation de ce lien fait partie intégrante de l'ensemble des apprentissages et des expériences.

▪ Évaluation de l'acte pédagogique

Pour le formateur, il s'avère très important de ne pas perdre de vue l'évaluation de l'acte pédagogique. Voir la différence entre l'acte qu'a voulu poser l'intervenant et celui qui fut réellement posé évite d'avancer une interprétation hâtive. Lorsque surgit une difficulté poser la question : « Que s'est-il passé ? », entraîne une certaine rigueur et une congruence entre la conception théorique, telle que proposée dans cette étude, et les phénomènes observés lors de son application. Ce qui nécessite une évaluation constante à l'intérieur de la réalité que l'intervenant cherche à définir et à cerner jusqu'à l'obtention d'une approximation satisfaisante entre le modèle élaboré et la pratique.

Cette démarche ne peut se faire sans une grande structure et un regard d'observateur car il ne s'agit pas d'identifier les apprenants qui ne répondent pas au modèle mais de comprendre ce qui cause les difficultés et les échecs rencontrés.

Réflexion sur les événements externes

Même si nous savons que le processus d'intégration est un processus spontané, qu'il est inné en nous et fait partie du déroulement naturel de l'expérience humaine, certaines acquisitions nécessitent une assistance afin d'éviter de rester en deçà de notre potentiel.

L'évolution du processus d'intégration s'effectue par le biais d'une interdépendance entre les conditions internes de l'apprentissage et les événements externes. L'intervenant doit sans cesse passer de l'un à l'autre pour favoriser l'apprentissage. Lorsque l'apprenant est en quête de réponse (condition interne) et que le formateur lui demande : « Comment perçois-tu la situation ? Qu'est-ce que tu a compris lors de cette interaction ? », ce dernier amène l'apprenant à verbaliser son expérience (événement externe), à élargir et à préciser la représentation mentale qu'il se faisait de l'expérience. Ce passage des conditions internes de l'apprenant aux événements externes permet l'utilisation concomittante des fonctions hémisphériques du cerveau et favorise ainsi l'intégration des apprentissages.

Dans tout apprentissage, nous passons naturellement d'une fonction hémisphérique à une autre. De même, lors du traitement de l'information ou dès la réception d'une information, nous passons de l'environnement à notre subjectivité et nous allons naturellement de l'un à l'autre lorsqu'il n'y a pas d'interférence.

Constamment, il se produit une interaction entre l'interne et l'externe, d'où l'interdépendance entre l'environnement et la subjecti-

TABLEAU 4

LES INDICATEURS DES CONDITIONS INTERNES ET DES ÉVÉNEMENTS EXTERNES

Phase	Indicateurs internes : a. cognitif, b. affectif	Indicateurs externes : l'action
1. La disponibilité et la motivation	a. Veut augmenter ses connaissances, se questionne, démontre de l'ouverture, de la curiosité, de l'intérêt. b. À l'écoute de ses besoins, cherche à dépasser les messages anti-suggestifs, se sent en confiance et responsable dans son engagement.	— Démontre son enthousiasme et/ou ses appréhensions. — Fait l'inventaire de ses acquis et de ses expériences. — Identifie ses besoins d'apprentissage. — S'engage dans l'établissement du contrat d'apprentissage. « Je veux connaître, je veux apprendre, je suis intéressé à... »
2. L'exposition	a. Prend conscience de l'importance de son questionnement. b. Porte attention aux sensations corporelles et éprouve ses émotions.	— Le questionnement et les questions posées concernent l'expérience en cours. — S'engage avec toute sa sensorialité et sa subjectivité dans la relaxation, les jeux de rôle, la visualisation. — Observe et décrit ses observations. « Je constate que ce n'est pas comme je le pensais, maintenant il y a ceci et cela à tenir compte... »
3. Le mouvement de l'expérience	a. Cherche à apprendre davantage, recueille des éléments sans les organiser logiquement, s'approprie ses découvertes, formation de la représentation mentale. b. Ouvre et facilite l'accès à des aspects nouveaux, laisse l'organisme faire les liens, s'assume en recherche de soi.	— Communique ce à quoi il fait référence (la représentation mentale) ainsi que les découvertes essentielles. « C'est bizarre ce qui se passe, c'est comme si... »
4. La symbolisation	a. Ordonne sa pensée, analyse les éléments d'observation, les regroupe et les classifie de façon à faire apparaître les diverses facettes et leurs significations. b. Se rend disponible à la découverte du sens, en laissant l'organisme trouver la réponse, éprouve un soulagement et une réduction des tensions.	— Trouve le sens ou la signification de toute sa recherche. — Communique ses découvertes et son vécu. « Enfin, je comprends, je saisis, je peux dire que... »
5. L'action expressive	a. Met en rapport les observations dégagées de l'analyse et permet ainsi de faire une synthèse ou un bilan des acquis, évalue les résultats et cette évaluation peut ouvrir sur une prospective. À cette étape, le sujet résume, évalue, choisit, élabore et généralise. b. Sent les effets de l'intégration, s'exprime en étant en contact, cherche un interlocuteur valable.	— Communique sa synthèse, son évaluation. — Demeure en mouvement et possède son expérience (expression de l'expérience réelle et de l'intensité). — Est capable d'une grande performance. — Peut faire des liens avec d'autres expériences antérieures. « Maintenant, je peux dire..., je suis capable..., j'ai pris conscience..., je suis persuadée... »

vité de l'individu. L'un ne va pas sans l'autre. Dans cette publication, j'ai traité séparément les conditions internes et les événements externes afin de les rendre plus explicites. Mais dans la réalité de l'acte pédagogique, ils sont définitivement interdépendants.

Dans la description des événements externes, plusieurs outils sont suggérés pour faciliter le processus d'intégration. Certains d'entre eux paraissent utilisables à différentes phases du processus. Cela démontre bien que les phases du processus d'intégration des apprentissages ne sont pas étanches ; elles s'insèrent l'une après l'autre. Ces outils peuvent paraître trop nombreux et difficiles à maîtriser dans le temps. Toutefois, il suffit de les utiliser selon les besoins et nulle obligation ou certitude n'est reliée à leur utilisation pour la réussite du cheminement de l'apprenant. Précisons que la connaissance et la compréhension des conditions internes s'avèrent importantes, voire essentielles, avant d'utiliser certains outils pédagogiques. Ces derniers se veulent une façon de faciliter le processus et ne seraient que des artefacts sans résonnance sur le processus d'intégration. Ainsi, son utilisateur doit d'abord être à l'aise avec l'outil, connaître auparavant le rationnel qui sous-tend son utilisation et l'objectif poursuivi auprès de l'apprenant, puis déterminer, en regard des besoins identifiés, l'outil pédagogique le plus susceptible de correspondre à cette adéquation.

Présentation du tableau des événements externes

En se référant aux indicateurs des événements externes sur le tableau 4, il devient possible d'observer la progression de l'apprenant au cours des différentes phases du processus d'intégration des apprentissages. D'ailleurs, ceux-ci fournissent des indices sur son cheminement.

Notes

1. Gouvernement du Québec, *L'école québécoise. Énoncé de politique et plan d'action,* Québec, 1979, p. 84.
2. Saint-Arnaud, J. Yvon, *L'accueil intégral de l'autre,* Éd. Institut de la formation à la relation interpersonnelle (IFOR), Bruxelles, 1985, pp. 18-19.
3. *Op. cit.*, p. 21.
4. Nous retrouverons au chapitre 6, « Le coffre à outils » un exemple d'un contrat pédagogique.
5. Saint-Arnaud Yves, *Devenir autonome,* Éd. le Jour, 1983, p. 136.
6. *Op. cit.*, p. 139.
7. Paquette, Claude, *Vers une pratique de la supervision interactionnelle,* Interaction/Éditions, Longueuil, 1986, p. 19.

8. Gaboury, Placide, *L'homme qui commence,* Éd. de Mortagne, 1981, p. 230.

9. Côté, Christian, « L'utilisation de la programmation neurolinguistique », *Revue Service Social*, Presses Université Laval, Québec, vol. 31, n° 2 et 3, juillet-décembre, 1982, pp. 404-405.

10. Cayrol, Alain, « La programmation neuro-linguistique », *Revue psychologie*, n° 144, fév. 1982, p. 17.

11. Tableau provenant d'un collectif de professeurs pour le cours « Méthodologie de l'intervention », École de Service social, Université de Montréal, 1982.

12. Le système réticulaire est l'un des trois systèmes nerveux connus et étudiés à ce jour. Ce système nerveux est vieux de quelque six cents millions d'années ; il n'est ni conscient, ni volontaire, ni spécifique. Ce système a pour rôle de filtrer, de freiner, d'accélérer, etc.

13. Guirao, Miguel, *Anatomie de la conscience*, Éd. Maloine, Paris, 1979, p. 47.

14. Le lecteur qui veut connaître davantage cette technique peut consulter : Gendlin, Eugène T., *Au centre de soi,* Éd. Le Jour, Montréal, 1982, 213 p.

15. Kolb, David, Fry, Ronald, « Toward and Applied Theory of Experiential », in *Theories of Group Processes*, Ed. Gary Cooper, London/New York, John Wiley and Sons, 1975.

16. Cette figure est une traduction faite à partir de la théorie de Kolb et Fry : Bernard, H., Cyr, J.-M., Fontaine, F., *Service pédagogique*, Université de Montréal, 1981, p. 36. La définition et la description de chacune des phases proviennent des mêmes auteurs.

17. L'impact de l'utilisation de certains outils pédagogiques, à cette troisième phase du processus d'intégration des apprentissages, est illustré à l'aide de témoignages recueillis dans des journaux de bord d'apprenants. Ceux-ci participaient à un cours « Méthodes de supervision pédagogique » donné par l'auteure à des étudiants-professionnels inscrits au programme de deuxième cycle universitaire en service social de l'Université Laval.

18. Plusieurs expériences ont été faites auprès d'athlètes sur l'utilisation de la visualisation ou de l'imagerie mentale. Ces derniers, dans un état de relaxation, accomplissent mentalement tous les détails de l'épreuve à effectuer. Les conclusions de ces recherches signalent qu'au niveau physique, la préparation mentale entraîne une plus grande précision de mouvement, une meilleure utilisation de l'énergie. Au niveau psychologique, il en résulte une meilleure concentration et des capacités perceptives plus fines. Le lecteur intéressé par le sujet pourra consulter à cet effet le livre de Ostrander, S., Schrœder, L., *Les fantastiques facultés du cerveau*, Laffont, 1980, pp. 161-178.

19. Shames, R., Sterin, L., *Comment utiliser sa force mentale*, Éd. Stanké, Montréal, 1979.

20. De La Garand	erie, Antoine, *Les profils pédagogiques : discerner les aptitudes scolaires*, Éd. du Centurion, Paris, 1980, 259 p.

21. De La Garanderie, Antoine, *Pédagogie des moyens d'apprendre, les enseignants face aux profils pédagogiques,* Éd. du Centurion, Paris, 1982, p. 25.

22. Noiseux, G. (1985), *op. cit.,* p. 13.

23. L'exercice auquel fait référence le témoignage est celui d'une imagerie mentale où l'apprenant est invité à visiter un musée (voir chapitre 6). Il se dirige vers une statue, tente de préciser la forme, les couleurs, les matériaux, la position, etc. Après l'imagerie, la personne est appelée à devenir cette statue. C'est en « l'habitant » qu'elle décèle les émotions, les sentiments, etc.

24. Les outils pédagogiques déjà mentionnés comme : le modèle d'apprentissage expérientiel de Kolb et Fry (articulation du lien théorie-pratique), l'utilisation de l'imagerie mentale et de la visualisation, du jeu de rôle, de l'analogie, du dessin, de l'audio-visuel sont tous des outils qui favorisent aussi la symbolisation. Car, des données accumulées, une symbolisation prend forme et l'apprenant peut transcrire son ressenti sous forme verbale ou visuelle.

25. Même si le journal demeure un outil très personnel, on peut toutefois faire appel à un guide extérieur dans le but d'approfondir, de clarifier et de dégager davantage certains points. Rappelons au lecteur que ce texte est inspiré de Paré, André, *op. cit.,* pp. 66-76.

26. Paré, A., *op. cit.,* p. 67.

27. Pineau, Gaston, Marie-Michelle, *Produire sa vie,* autoformation et autobiographie, Éditig et Éd. Saint-Martin, Montréal, 1983, p. 196.

LE COFFRE À OUTILS

Les différents outils pédagogiques constituant ce chapitre sont présentés dans le but de favoriser l'apprentissage de l'apprenant à l'une ou l'autre des phases du processus d'intégration des apprentissages et d'outiller le formateur qui accompagne l'apprenant dans ce processus. Avant de choisir un exercice, il s'avère essentiel que l'intervenant détermine l'objectif poursuivi, à quelle phase du processus d'intégration il désire intervenir, et ce qui l'amène à choisir ou à privilégier un outil pédagogique.

L'intervention auprès de l'apprenant est en quelque sorte une relation d'aide et il est de toute importance de tenir compte de la complexité de l'intervention et de la qualité du rapport établi entre eux. Connaître le rationnel qui sous-tend l'utilisation d'outils pédagogiques ainsi que la façon de les présenter évite à l'intervenant d'appliquer des recettes. Les outils pédagogiques sont uniquement des supports à l'intervention. Ils sont le prolongement de la dimension cognitive transmise, le lien entre les connaissances reçues à l'expérience vécue, ce qui permet la concomitance des fonctions hémisphériques du cerveau lors du processus d'intégration des apprentissages.

Lors de la présentation de chacun des outils pédagogiques, le but, les objectifs visés et le lien entre chacun des outils sont mis en évidence. Il est aussi suggéré certaines activités qui peuvent accompagner leur utilisation. Suivant la situation d'apprentissage l'intervenant pourra adopter l'outil proposé. Ajouter, modifier certains exercices, créer et développer de nouveaux outils, sera le résultat de sa propre intégration du processus.

Tel que présenté, les outils s'adressent aux apprenants. Cependant, l'intervenant est fortement invité à utiliser pour lui-même ces outils. Un exemple serait de remplir le questionnaire sur les objectifs d'apprentissage. Cet exercice rappelera à l'intervenant qu'il effectue lui aussi des apprentissages lorsqu'il pose des actions. De cette façon, il est un apprenant parmi les apprenants. Élaborer des objectifs d'apprentissage lui permettra de préciser sa pensée et ce qui le motive à faire ce travail. Un retour sur ses objectifs d'apprentissage favorisera une certaine remise en question et lui permettra d'évaluer de façon régulière son évolution en terme de savoir, de savoir-faire et de savoir-être.

Le lecteur constatera, qu'à chacune des phases du processus d'intégration des apprentissages, un certain nombre d'outils pédagogiques est suggéré. Le but et les activités reliées à l'exercice sont indiqués et, selon le cas, un guide d'utilisation précède l'exercice proprement dit.

Processus pour guider un apprenant lors de l'utilisation d'outils pédagogiques

La méthodologie suggérée sert de ligne directrice pour l'utilisation des outils présentés dans ce chapitre. Mentionnons que l'utilisation de la relaxation, du jeu du drôle, de l'imagerie mentale, de la visualisation, du dessin, du rêve, de la sculpture, de l'audio-visuel et du journal de bord nécessite la participation de l'intervenant.

■ Première phase : motivation et disponibilité

Dans un premier temps, l'intervenant aura à tenir compte de la perception de l'apprenant à l'égard de l'utilisation d'un des outils pédagogiques. Cette perception s'avère importante à cette phase-ci du processus car elle colore l'état dans lequel la personne s'engage à vivre l'expérience.

Un certain nombre de questions permettent d'avoir accès à ses perceptions. En voici quelques-unes :

L'apprenant a-t-il déjà expériencié l'apprentissage proposé ? Si oui, quel souvenir en garde-t-il ? Si non, de quelles informations a-t-il besoin pour s'engager avec confiance dans cette expérience ?

Comme intervenant, qu'est-ce que je peux communiquer pour stimuler l'apprenant (buts, objectifs, le lien théorie-pratique, la relation entre les besoins de l'apprenant et l'utilité de l'outil pédagogique pour son apprentissage) ? Quels sont les objectifs que poursuit l'apprenant ?

En plus de s'assurer du degré d'ouverture de la personne, le formateur devra créer un climat propice à l'apprentissage tant aux niveaux des conditions physiques que psychologiques (calme, éclairage, matériels disponibles, doutes, craintes, respect mutuel, authenticité, etc.).

Le formateur aura à communiquer des consignes claires et précises afin que l'individu ne perde pas son énergie devant des attentes inconnues ou craigne de ne pas respecter les règles du jeu. L'utilisation de ces outils a pour but de favoriser l'intégration. L'intervenant aura à souligner l'importance de laisser venir à soi les images, les réponses, les gestes, etc., afin d'éviter la quête de la performance, faire le plus beau dessin, rechercher les images les plus originales, etc. De cette façon, l'apprenant est invité à l'ouverture de soi et à faire confiance à la valeur de son monde intérieur.

■ Deuxième phase : exposition

Il est fortement suggéré de faire une détente avant d'utiliser les outils pédagogiques tels que le jeu de rôle, l'imagerie mentale, la visualisation, le dessin, le rêve, la sculpture, l'audio-visuel, le journal de bord. En somme, avant tout début d'activité, il est souhaitable de faire une centration, afin de s'assurer de la disponibilité physique et mentale de l'apprenant ainsi que de la mobilisation de la sensorialité et de la subjectivité du sujet (se référer aux outils proposés sur la centration et la relaxation).

La capacité de demeurer en contact avec son ressenti amène l'apprenant à faire confiance au déroulement du processus et à l'apprenant qui *sait* en lui. De cette mise en contact pourra naître le référent direct ou la représentation mentale, nécessaire à la prochaine phase du processus.

Pour ce faire, l'intervenant pourra guider le processus en demandant à la personne de ressentir premièrement, ce qu'il voit, entend ou pressent dans son monde intérieur. Puis, de savoir où se loge cette sensation ? Quelle forme, quelle couleur, quelle dimension prend-elle cette sensation ?

Ces quelques questions peuvent être posées soit lors d'une centration, d'une visualisation, d'une imagerie mentale, soit après avoir isolé une séquence d'un jeu de rôle, d'un document audio-visuel, d'un journal de bord. L'essentiel dans ce processus, c'est d'être présent, disponible, ouvert à ce qui apparaît significatif, intéressant et intrigant pour soi. L'apprenant peut aussi compléter cette « séquence » en ajoutant des informations supplémentaires comme : Quelle atmosphère régnait-il ? Existait-il d'autres interactions ? Quelles étaient ces autres interactions ? Que se disaient-ils ? Que faisaient-ils ? Quelles émotions m'habitent ? Quelles sont mes réactions ? Quelles sont les idées qui émergent ?

Ces dernières questions permettent d'acheminer le sujet vers la troisième phase du processus d'intégration des apprentissages, afin que l'apprenant identifie davantage sa « connaissance » intérieure.

■ Troisième phase : mouvement de l'expérience

En permettant aux émotions, aux sensations et aux sentiments de prendre place, on fait émerger les images, les symboles qui représentent le monde intérieur immédiat de l'apprenant. Cela permet de rejoindre l'essence de ce qui est en jeu et peut révéler un aspect plus profond du retentissement intérieur de la personne[1].

Afin de laisser le symbole prendre place, le formateur peut demander de laisser émerger une image, une métaphore ou un simple symbole qui illustre ou traduit le sentiment, l'émotion ou les réactions que la personne vit actuellement.

L'apparition de cette image peut n'avoir aucun sens dans l'immédiat et on ne doit pas en forcer la signification. Seuls l'intimité, le temps et la mise en contact le permettront.

■ Quatrième phase : symbolisation

Dans le but de faire naître la signification qui se dégage du symbole, de l'image ou de la métaphore, l'intervenant est appelé à guider l'apprenant. Il invitera donc ce dernier à dialoguer ou à parler intérieurement avec l'image. D'abord, en restant en contact et ensuite, en interagissant avec elle. « Cette image, cette métaphore ou ce symbole représente des aspects de nous-même et cherche à nous dire quelque chose[2]. »

L'interaction avec cette image et le sujet peut s'effectuer à l'aide de questions suggérées par l'intervenant : Demandez à votre image ou à votre symbole ce qu'il cherche à vous dire ? Est-ce qu'il attend quelque chose de vous ? Y a-t-il un lien entre l'information fournie par le symbole ou l'image et votre cheminement personnel ?

Cette symbolisation peut se compléter à l'aide du dessin et/ou de la sculpture. Pour cette dernière technique, la personne devient le symbole, c'est-à-dire que le sujet adopte la position qui représente le symbole. Par exemple : un arbre agité par le vent ; la personne tente de devenir cet arbre que le vent agite. Cette mise en action permet une plus grande identification à l'image ou au symbole et l'organisme entier (corps, émotion, mental) est requis pour la prise de signification. De cette façon, l'être entier s'approprie le sens de l'expérience.

▪ Cinquième phase : action expressive

Favoriser l'expression de l'expérience vécue permet à l'apprenant de prendre davantage possession de son expérience. Se le dire à soi-même, le dire à l'autre ou aux autres s'avère une forme de communication complémentaire.

À cette phase, le formateur invitera le ou les apprenants à exprimer, à leur rythme, ce qui se dégage de l'expérience, en partageant le symbole ou l'image identifié et la signification qui s'en dégage.

Afin que cette expérience ne demeure pas qu'une expérience, l'apprenant est amené à voir comment cette découverte peut entraîner un changement dans son quotidien. Il aura à choisir une action concrète pour permettre au processus d'intégration des apprentissages d'effectuer une boucle complète et, de cette façon, l'intervenant s'assure que le sujet a plus de chance d'avoir appris.

Pour illustrer tout le processus, un exemple tiré d'un journal de bord permettra de mieux saisir la portée d'une imagerie mentale combinée à la sculpture.

> Lors de l'exercice de l'imagerie mentale [...] la statue que je rencontre me trouble. C'est une statue de plâtre blanc ayant une forme humaine avec des ailes fermées. Le personnage est agenouillé et a la tête penchée je cherche en vain les mains mais je ne les trouve pas. Je distingue à peine un bras sur lequel s'appuie la tête mais pas de main. [...] Lors de l'exercice à deux j'ai de la difficulté à mimer la statue tellement cela représentait ce que j'étais à ce moment.

> Il y a trois semaines j'ai appris que ma condition physique avait subi une détérioration qui m'amenais à remettre en question ma capacité de travail. Le médecin me dit qu'il voudrait me déclarer inapte au travail... [...] La *signification* : d'abord la statue m'est apparue comme moi, les ailes faisant référence à mes capacités mentales et l'absence de mains à mes difficultés d'actualiser mes représentations mentales. Puis ce sont les ailes fermées qui ont attiré mon attention comme si actuellement je n'avais plus de capacité d'envol, de m'ouvrir, d'entrevoir un espoir. Finalement c'est la position de la statue qui m'a révélé combien j'étais accablée, repliée sur ce vécu, paralysée, incapable de mouvement. L'absence de mains est devenue moins importante. [...] Dans un premier temps j'ai été envahie par cette statue, incapable de m'en libérer. Puis il m'est apparu que je devais d'abord ouvrir les ailes c'est-à-dire m'ouvrir à la possibilité de résoudre le problème. Dans un deuxième temps je dois changer de position pour

pouvoir me mettre en mouvement et être ouverte disponible à vivre ce qui viendra. Les mains finiront par apparaître. *Réflexion personnelle* : ce n'est qu'après avoir fait 3 heures de ménage après le cours, que j'ai pu revenir sur ce vécu et l'écrire. *Retour sur l'imagerie mentale* : à partir du vécu et de la réflexion sur l'imagerie mentale j'ai pu comprendre et objectiver ma situation et passer à l'action de façon efficace. J'ai rencontré aujourd'hui le syndicat et rédigé ma demande de poste réservé à l'employeur. Ce fut pour moi une expérience enrichissante et un modèle d'apprentissage que je compte approfondir et utiliser.

OUTILS DE LA PHASE 1 : MOTIVATION ET DISPONIBILITÉ

PHASE 1   OUTIL 1

Inventaire des besoins et des expériences antérieures

■ But

Cet inventaire a pour but de centrer l'apprenant sur les intentions et les motivations qui l'amènent à effectuer de nouveaux apprentissages, à s'inscrire à une session de formation, à investir temps et énergie, etc. Le questionnaire comprend aussi quelques questions sur les expériences antérieures. Les connaître permet d'identifier le degré d'ouverture de la personne et l'influence positive ou négative transposée inconsciemment sur les futurs apprentissages. L'image que l'on se fait de l'apprentissage à effectuer provient souvent de l'addition d'informations et d'expériences vécues.

■ Lien avec les outils proposés

L'exercice sur l'inventaire des besoins et des expériences antérieures sert d'amorce, de démarrage et permet déjà d'identifier certains besoins qui seront traduits en objectifs d'apprentissage dans le prochain exercice.

■ Consignes

1. L'apprenant et l'intervenant sont invités à répondre au questionnaire.

2. Un échange peut suivre.

3. Inscrire les besoins qui se dégagent du questionnaire.

4. Conserver le dessin de l'image que l'on se fait de soi en situation d'apprentissage. Ce dessin pourrait servir à l'évaluation des apprentissages.

- **Questionnaire pour l'inventaire des besoins et des expériences antérieures**

1. Avez-vous déjà effectué un ou des apprentissages qui ressemblent à celui que vous êtes appelé à faire ?
   Si oui, lequel ou lesquels ?

   _____
   _____
   _____
   _____

2. Quelles sont les satisfactions que vous avez retirées de ces apprentissages antérieurs ?

   _____
   _____
   _____
   _____

3. Suivant ces apprentissages antérieurs, quelles sont les forces que vous vous reconnaissez ?

   _____
   _____
   _____
   _____

4. S'il y a eu des difficultés importantes lors de vos apprentissages antérieurs, y a-t-il des insatisfactions que vous conservez à cet égard ? Si oui, lesquelles ?

   _____
   _____
   _____
   _____

5. Quelles intentions avez-vous en vous engageant dans ce nouvel apprentissage ?

   _____
   _____
   _____
   _____

6. Quels sont les éléments que vous désirez connaître, travailler ou approfondir au cours de ce nouvel apprentissage ?

_____

_____

_____

_____

7. Quels sont les sentiments que vous éprouvez à l'égard de l'expérience que vous êtes appelé à vivre ?

_____

_____

_____

_____

8. Quelle est la perception de vous-même à l'égard de ce nouvel apprentissage ?
A. Faites un portrait de vous-même.
B. Quelle est la signification de ce portrait ?

_____

_____

_____

_____

PHASE 1   OUTIL 2

Élaboration des objectifs d'apprentissage

■ But

Cet exercice peut paraître astreignant pour l'utilisateur mais l'expérience nous indique à quel point il permet de clarifier la pensée de l'apprenant (but de l'exercice). La clarification des objectifs permet d'une part, de savoir si les objectifs sont réalistes et réalisables compte tenu du temps, des objectifs de l'établissement ou du programme, du contenu à livrer, des connaissances et des habiletés à acquérir. Cette clarification favorise d'autre part, l'engagement de l'apprenant à l'égard de son processus d'apprentissage. Son degré de responsabilité et de participation sont des atouts précieux pour que l'intégration s'effectue.

■ Lien avec les outils proposés

L'exercice de l'inventaire permet de départager les expériences antérieures et celles à entreprendre (outil 1). Celui-ci oriente les besoins en les traduisant en objectifs d'apprentissage. Il prépare à la formulation du contrat d'apprentissage qui suit (outil 4).

■ Consignes

1. Remplir le questionnaire en élaborant chacun des objectifs identifiés.

2. Partager avec un tiers afin de s'assurer de la compréhension et de la clarté des objectifs.

3. Conserver cet écrit afin de le réviser régulièrement et de s'assurer de sa pertinence tout au cours du processus. De plus, l'élaboration de ces objectifs facilitera l'évaluation sommaire et/ou formelle.

■ Guide méthodologique pour l'élaboration des objectifs d'apprentissage[3]

1. Choisir **un** besoin que vous désirez combler au cours de cet apprentissage ? (Exemple : bien savoir guider un apprenant dans ses apprentissages.)

   Dans un premier temps, l'apprenant est invité à se choisir un seul objectif dans le but de bien le cerner et d'éviter ainsi l'éparpillement. N'oublions pas que l'objectif fixé doit être réalisable dans le temps et dans le contexte de l'apprentissage. Donc, si la personne se fixe trop d'objectifs, il risque d'en acquérir aucun. Souvent, l'apprenant a l'impression qu'il n'apprendra pas beaucoup de choses s'il se fixe un seul apprentissage. Cependant, l'expérience indique que l'atteinte d'un objectif a permis d'acquérir des connaissances, des habiletés, des attitudes qui sont transférables pour d'autres apprentissages.

2. Traduire ce besoin en objectif d'apprentissage en utilisant la formule : **À la fin de la session, je serai en mesure** de guider un apprenant au cours de son stage d'observation en orthophonie. Remarquez que le qualificatif « bien » est omis. Il est difficile de déterminer ce qui est bien, meilleur, supérieur à, etc. L'établissement de l'objectif omet la comparaison, il cherche à atteindre ou à réaliser un but. De plus, l'objectif d'ordre général deviendra plus spécifique avec les questions suivantes.

3. Dans le but de préciser votre pensée et le ou les types de savoir auquel vous faites référence, la question suivante servira de guide. « **Qu'est-ce que je veux dire par...** » (exemple : guider un apprenant au cours de son stage d'observation en orthophonie). Les réponses peuvent vouloir dire plusieurs choses et mentionner l'un ou les trois types de savoir.

Par exemple :
J'ai besoin de connaître le rôle d'un guide (savoir).
J'ai besoin d'identifier les principes d'accompagnement d'un apprenant lors d'un stage d'observation (savoir).
J'ai besoin de connaître les caractéristiques d'une personne qui guide (savoir).
J'ai besoin d'apprendre à me comporter comme une personne qui guide un apprenant (savoir-faire).
J'ai besoin d'apprendre à enseigner les techniques d'observation (savoir-faire).
J'ai besoin d'apprendre à être empathique vis-à-vis la personne qui est en situation d'apprentissage (savoir-être).
J'ai besoin de savoir m'auto-évaluer comme guide auprès de l'apprenant (savoir-faire).
J'ai besoin d'apprendre à me remettre en question comme guide (savoir-faire).
J'ai besoin d'apprendre à accepter les commentaires perçus négativement lorsque je guide l'apprenant (savoir-être).

4. La formulation d'objectifs se révèlent ici très importante car non seulement elle influence la signification mais aussi les

actions à entreprendre pour atteindre l'objectif. Pour ce faire, des normes méthodologiques s'avèrent nécessaires.

Pour établir un objectif de type savoir (connaissances à acquérir), il faut utiliser :

> *un verbe général suivi de son contenu*
> *=*
> *objectif de type savoir*

Exemples de verbes généraux : apprendre, savoir, connaître, acquérir, approfondir, identifier, réviser.

Pour établir un objectif de type savoir-faire (habiletés à acquérir), il faut utiliser :

> *un verbe général, suivi d'un verbe indiquant*
> *une action, une réalisation ou une performance*
> *=*
> *objectif de type savoir-faire*

Exemples : un des verbes généraux ci-haut mentionnés, apprendre à ou savoir. Puis ajouter un autre verbe comme : faire, exécuter, utiliser, me servir de..., me rendre capable de..., m'habiliter à...

Pour établir un objectif de type savoir-être (attitude à acquérir), il faut utiliser :

> *un verbe général, suivi d'un verbe exprimant*
> *une attitude, une croyance, un sentiment,*
> *une valeur, une opinion*
> *=*
> *objectif de type savoir-être*

Exemples : apprendre à ou savoir. Puis ajouter un autre verbe comme : écouter, accepter, être conscient, aimer, respecter, être empathique, être congruent, être sensible à...

5. Il n'est pas nécessaire d'attribuer à l'objectif général (guider un apprenant...) les trois types de savoir pour formuler des objectifs spécifiques. L'essentiel, c'est qu'en établissant un objectif spécifique, l'apprenant et l'intervenant sachent à quel type de savoir ils font référence.

Toutefois, lors de l'apprentissage, il ne faut pas négliger les trois types de savoir. Malheureusement, on tient trop souvent compte du savoir proportionnellement au savoir-être. Négliger un des trois types de savoir, c'est délaisser une valeur importante dans l'apprentissage et oublier que c'est l'organisme entier qui fait l'apprentissage. Car, grâce à l'information que l'organisme enregistre au cours de l'apprentissage, l'apprenant favorise l'intégration de ses connaissances et de ses expériences.

■ Questionnaire pour l'élaboration des objectifs d'apprentissage

1. Choisir **un** besoin auquel vous désirez répondre au cours de cet apprentissage ?

2. Traduire ce besoin en objectif en complétant la phrase suivante : **« À la fin de la session, je serai capable de... ou en mesure de.... »**

3. Répondre à la question : **« Qu'est-ce que je veux dire par être en mesure de... ou capable de... ».**

4. Suivant les différentes significations mentionnées, **qu'elles sont celles que je désire formuler en objectifs spécifiques ?**

5. Suivant le choix de ces objectifs spécifiques, **déterminer ceux qui sont de l'ordre du savoir, savoir-faire et savoir-être ?**

6. Formuler à l'aide du guide méthodologique les objectifs spécifiques déterminés.

   A. Les connaissances à acquérir s'énoncent à l'aide d'un **verbe général suivi de son contenu.**

   B. Les habiletés à acquérir s'énoncent à l'aide d'un **verbe général (savoir, apprendre) suivi d'un verbe d'action, de réalisation ou de performance.**

   C. Les attitudes à acquérir s'énoncent à l'aide d'un **verbe général (savoir, apprendre) suivi d'un verbe exprimant une attitude, une croyance, un sentiment, une valeur, une opinion.**

PHASE 1   OUTIL 3

Exercice de centration pour favoriser le choix d'un objectif d'apprentissage

▪ But

L'exercice de centration a pour but d'amener l'apprenant à discerner le besoin qu'il évalue comme le plus important au cours de son apprentissage. L'identification de ces besoins deviendra l'objectif que l'apprenant entend poursuivre.

▪ Lien avec les outils proposés

Cet exercice peut être utilisé seul ou combiné selon le cas à l'élaboration des objectifs d'apprentissage (outil 2), à l'inventaire des besoins et des expériences antérieures (outil 1). L'importance accordée à l'élaboration d'un contrat formel d'apprentissage orientera le choix de l'intervenant pour l'un ou l'autre des outils proposés.

▪ Consignes

1. Tenter de diminuer les sources de stimulation (bruit, éclairage).

2. Demander à l'apprenant de s'installer confortablement.

3. Énoncer sur un ton calme et lent le texte de l'exercice.

4. L'exercice nécessite des temps d'arrêt plus ou moins courts. Ainsi les indicatifs (...) et (... ...) désignent la durée à accorder pour que l'apprenant repère ses images mentales. L'indicatif (pause) désigne un arrêt de plus longue durée.

5. Après l'exercice, inviter l'apprenant à écrire la formulation trouvée.

6. Partager les écrits. Ceci permet de s'assurer de la compréhension des besoins mentionnés (terme le plus possible univoque) et de les compléter si nécessaire.

▪ Exercice de centration[4]

Fermez les yeux... Entrez en contact avec votre respiration... Vous pouvez accompagner le mouvement de votre respiration d'une pensée mentale : j'inspire (...) j'expire (pause). Si votre pensée vagabonde, revenez tout simplement à votre respiration.

Nous allons maintenant retourner un peu dans le temps et voir ce qui motive aujourd'hui votre présence ici. Essayez de vous rappeler quelles sont les intentions qui vous ont habité (... ...)

En participant à ce nouvel apprentissage, vous désirez combler sûrement des besoins, tentez d'identifier lesquels (... ...)

Maintenant prenez un de ces besoins, celui qui vous apparaît le plus significatif (... ...)

Tentez de voir les sensations, les sentiments que vous éprouvez lorsque vous y pensez (...) Est-ce agréable, stimulant, vivifiant (...)

Éprouvez-vous des craintes, des doutes à l'égard de ce besoin identifié ? (... ...)

Avez-vous déjà tenté de répondre à ce besoin ? (...)

Quels ont été les résultats ? (... ...)

Avez-vous le goût et un intérêt suffisant pour répondre à ce besoin ? (... ...)

Si oui, répétez mentalement ce besoin jusqu'à ce qu'il prenne une forme que vous jugez intéressante (... ...)

Si non, reprenez un autre besoin identifié et complétez le processus jusqu'à ce que vous soyez satisfait de la formulation de ce besoin (... ...)

Prenez les derniers instants pour vous et quand vous serez prêt reprenez contact avec votre environnement (... ...)

Je vous invite à inscrire votre formulation que nous pourrons ensuite partager.

PHASE 1   OUTIL 4

Formulation du contrat d'apprentissage

■ But

L'élaboration du contrat d'apprentissage reflète l'importance de l'acte d'apprendre. Le but de ce contrat est de responsabiliser, de motiver l'apprenant à participer activement à son apprentissage et de sensibiliser l'intervenant aux besoins d'apprentissage de celui-ci. Cette entente écrite et entérinée par les différentes parties engagées dans l'expérience comprend les objectifs généraux et spécifiques d'apprentissage de l'apprenant, les activités d'apprentissage et les outils pédagogiques prévus pour atteindre les objectifs, les ressources matérielles et humaines disponibles pour réaliser les apprentissages et la forme d'évaluation utilisée pour évaluer les acquis[5].

■ Lien avec les outils proposés

D'avoir utilisé les outils précédents, soit l'inventaire des besoins et des expériences (outil 1), l'élaboration des objectifs d'apprentissage (outil 2) et l'exercice de centration (outil 3) facilitent la formulation du contrat d'apprentissage. Ce dit contrat est une des activités qui orientent les apprentissages à effectuer.

■ Consignes

1. À l'aide du guide méthodologique, il s'agit d'établir les objectifs généraux et spécifiques. Par définition, **l'objectif général** est un énoncé qui décrit ce vers quoi tend l'apprentissage. Tandis que **l'objectif spécifique** est un énoncé qui décrit aussi ce vers quoi tend l'apprentissage, mais il est formulé en terme de comportement observable (savoir utiliser, apprendre à reconnaître, identifier, etc.). L'objectif spécifique découle de l'objectif général en termes de savoir, savoir-faire et savoir-être.

2. Identifier les activités d'apprentissage prévues pour atteindre l'objectif (lectures, jeux de rôle, entrevues, échanges, observation sur le terrain, laboratoire).

3. Identifier les ressources matérielles et humaines disponibles (local, matériel audio-visuel, personnes-ressources, etc.).

4. Indiquer le temps alloué pour l'atteinte de l'objectif.

5. Mentionner les outils pédagogiques utilisés pour évaluer les objectifs (journal de bord, rapports, présentation d'un document audio-visuel, etc.).

6. Ce contrat d'apprentissage est entériné par les parties concernées (intervenant, apprenant, maison de formation ou d'enseignement, etc.).

7. Réviser régulièrement (exemple : une fois aux trois semaines), pour s'assurer de l'évolution et de la pertinence des objectifs et des activités, etc.

8. Conserver ce contrat jusqu'à l'évaluation à la mi-session et à la fin de la session.

■ Contrat d'apprentissage

Date _____
Apprenant _____
Intervenant _____
Organisme _____

Objectifs généraux (ce vers quoi tend l'apprentissage)	Objectifs spécifiques (savoir, savoir-faire, savoir-être)	Activités d'apprentissage (lectures, entrevues, échanges, observation sur le terrain, analyse, etc.)	Ressources matérielles et humaines (local, personnes-ressources)	Échéancier	Outils pédagogiques pour l'évaluation (rapports, documents audio-visuels, journal de bord, etc.)

OUTILS DE LA PHASE 2 : EXPOSITION

PHASE 2   OUTIL 5

Relaxation

Permettre à l'apprenant et à l'intervenant de travailler dans un climat de calme et de détente est important, car nous ne sommes pas toujours dans les meilleures dispositions pour s'acquitter d'une tâche. Amener la conscience à porter attention aux sensations, aux émotions qui nous habitent, facilite la mobilisation de la sensorialité du sujet, éléments importants pour amorcer cette deuxième phase du processus d'intégration des apprentissages. Ainsi, selon les besoins des personnes engagées dans l'expérience ou le contexte d'apprentissage, une période plus ou moins courte peut être accordée. Les exercices proposés dans ce texte apportent quelques exemples. Ces exercices peuvent aussi s'accompagner d'une visualisation ou d'une imagerie mentale suivant les besoins.

■ Recommandations

Mentionnons que les exercices de relaxation de courte durée sont particulièrement utiles pour abaisser les tensions, l'agitation parfois présente dans les salles de cours ou tout simplement pour ramener l'attention des individus à une activité spécifique. Un exemple serait d'effectuer ce type d'exercice avant de faire un jeu de rôle, un dessin, etc.

Cependant, les exercices de relaxation de courte durée ne sont pas recommandés lors de l'utilisation de l'imagerie mentale et de la visualisation. Pour laisser venir à soi les images intérieures, il faut effectuer une détente corporelle et mentale plus en profondeur (voir les exercices plus loin).

Toutefois, pour modifier ou avoir accès à la représentation mentale, la personne peut tout simplement fermer les yeux, inspirer et expirer trois fois et laisser apparaître les images intérieures.

■ Lien avec les outils proposés

Les suggestions de différents exercices de relaxation servent de préambules à l'imagerie mentale ou à la visualisation et au jeu de rôle. La relaxation peut être aussi utilisée pour débuter et pour terminer une séance de travail dans le but d'être présent aux actions à entreprendre après l'exercice.

■ Consignes

1. Tenter de réduire les stimulations extérieures (bruit, éclairage).

2. Se choisir une position confortable. Notez bien qu'il n'est pas toujours possible de s'étendre au sol ou de s'asseoir le dos appuyé contre un mur. Toutefois, le sujet peut s'installer confortablement sur une chaise. Il suffit simplement de poser les pieds par terre afin que l'énergie circule de la tête aux pieds ; de déposer les mains sur les cuisses, d'être appuyé ; de pencher légèrement le menton vers la poitrine, semblable à la position d'un cocher. Il est aussi suggéré de déserrer chaussures, ceinture, cravate, etc.

3. Diriger l'exercice avec une voix calme et lente.

4. Faire un échange à la fin pour connaître l'état du ou des apprenants.

■ Exercice de relaxation de courte durée

Installez-vous confortablement (... ...) Fermez les yeux (... ...) Portez attention à votre respiration et tentez de rester conscient du mouvement de l'inspiration et de l'expiration (... ...) (après trois cycles complets). Si vous êtes temporairement distrait, revenez tout simplement à votre respiration (pause)

Quand vous serez prêt, entrez doucement en contact avec votre environnement.

■ Variante d'exercice de relaxation de courte durée

Une variante de cette relaxation serait de dire mentalement lors de la respiration : j'inspire le bien-être, et lors de l'expiration : j'expire mes tensions (ou mes préoccupations, etc.). L'essentiel est d'attirer la conscience sur le mouvement de la respiration.

Installez-vous confortablement (...) Fermez les yeux (...) Entrez en contact avec votre respiration (...) Vous êtes invité lors de l'expiration à dire mentalement « un » (...) Nous le faisons une fois ensemble : inspirez (...) expirez « un » (...) Maintenant poursuivez seul en tentant de maintenir votre attention sur votre respiration (pause) Si une distraction survient, revenez tout simplement à votre respiration (pause)

Quand vous serez prêt, reprenez contact avec votre environnement.

- **Exercice de relaxation : observation de l'état corporel**

Débutez l'exercice avec le même texte que l'outil 5.2 et poursuivre avec le texte suivant.

Nous allons porter attention aux différentes parties du corps. Vous êtes invité à constater l'état dans lequel vous êtes, sans juger. Uniquement constater. Nous débutons par la tête. Alors, tentez de constater dans quel état se trouve le crâne (... ...) le front (... ...) les yeux (... ...) les mâchoires (... ...) la bouche (... ...) le cou (... ...) la nuque (... ...) Si une détente commence à se faire, prenez le temps de l'apprécier (pause)

Maintenant parcourez lentement votre colonne vertébrale, en passant d'une vertèbre à l'autre (pause) Remontez maintenant lentement le long de la colonne et appréciez la détente qui s'installe (pause) Maintenant, descendez lentement le long des bras (... ...) jusqu'aux doigts (... ...) remontez aussi lentement (pause) Revenons maintenant au tronc et constatez à quel endroit débute votre respiration (...) Restez en contact avec le mouvement de cette respiration (... ...) Maintenant, portez attention au bassin, tentez de voir s'il occupe bien la place qui lui revient (... ...) Descendez maintenant le long des cuisses, des jambes et jusqu'aux orteils, lentement et appréciez la détente qui s'installe (pause)

Maintenant, faites un dernier tour d'horizon de votre corps (... ...) S'il y a un endroit qui est tendu, faites comme si vous respiriez dans cette zone (pause)

Quand vous serez prêt, entrez doucement en contact avec votre environnement. Profitez-en pour vous étirer et retrouver vos énergies.

- **Variante d'une détente corporelle**

Une variante à cette relaxation serait de s'imaginer que chacune des parties du corps est dotée d'un système respiratoire. Et que ce système respire calmement et sereinement pour chacune des parties du corps mentionnée.

PHASE 2   OUTIL 6

Savoir repérer les signaux d'erreur perceptive

Consciemment et inconsciemment, nous développons tous des stratégies pour accroître notre développement ou pour se protéger des situations perçues comme menaçantes. Notre conditionnement fait en sorte que nous réagissons de façon différente devant un comportement perçu comme accueillant ou rejetant. Suivant l'approche de Glasser, il y a un signal interne qui est déclenché dès qu'il y a une différence entre ce qui est inscrit dans notre tête et ce que la réalité nous apporte. Ce signal se présente en premier lieu sous forme d'indice physique : lourdeur ou raideur dans les épaules, nœud à l'estomac, désir irrésistible de bouger, etc. Être sensible à ces indices ou signaux d'erreur perceptive est un atout précieux pour l'intervenant ou l'apprenant. Cela évite d'intervenir en réaction à la situation et d'adopter davantage une attitude d'observateur. Un exemple serait : « Voilà, le mal de tête qui reprend. Qu'est-ce qui vient de se passer ? » Ce temps d'arrêt permet de prendre conscience de la situation et d'intervenir avec le recul nécessaire.

■ But

Pour habiliter l'intervenant et l'apprenant aux signaux que leur donne leur organisme, un exercice de visualisation permettra d'accéder à ce degré de conscience. Ces signaux observés serviront aussi d'indices dans la vie quotidienne des individus.

■ Consignes

1. Tenter de réduire les stimulations extérieures (bruit, éclairage, etc.)

2. Choisir une position confortable.

3. Inviter la personne à se détendre et à suivre les directives qui seront données.

4. Respecter le temps réservé aux pauses et aux silences de plus (... ...) ou moins (...) longue durée.

5. Une des dernières directives de l'exercice mentionne de se laisser envelopper d'une couleur qui vient spontanément à l'esprit. Cette directive s'avère nécessaire puisque, selon les consignes, l'apprenant est passé d'un état agréable à un état

désagréable. Il peut arriver que l'apprenant reste dans un état inconfortable se reprochant encore son attitude. La suggestion de s'envelopper de couleur lui servira de protection, de support dans ce qu'il est appelé à vivre.

6. Après l'exercice, inviter l'apprenant à partager son expérience.

7. Inviter l'apprenant à faire un rapprochement entre les signaux identifiés au cours de l'exercice et ceux perçus dans le quotidien.

8. Mentionner l'importance de repérer ses signaux personnels et de les considérer comme des messages précieux que livre l'organisme.

■ Exercice sur les signaux d'erreur perceptive

Installez-vous de façon confortable (...) Fermez les yeux (...) Entrez en contact avec votre respiration (...) Quand vous expirez, pensez que vous extériorisez vos préoccupations et quand vous inspirez, pensez que vous accueillez une sensation de bien-être (pause)

Maintenant que vous êtes plus présent à vous-même, tentez de vous souvenir d'une situation récente où vous avez demandé ou exprimé quelque chose avec satisfaction (pause) Laissez-vous ressentir la sensation de satisfaction que vous éprouvez (pause)

Maintenant, prenez un événement le plus récent possible, où vous ne vous êtes pas exprimé avec satisfaction. Cela peut être des situations très simples de la vie quotidienne. Exemple : avec votre enfant, votre conjoint, un conducteur, une caissière, etc. (pause)

Tentez de repérer à quel endroit se loge dans votre corps la sensation ressentie (... ...) Laissez-vous ressentir cette sensation que vous éprouviez lorsque vous vivez cette séquence (pause)

Maintenant, remémorez-vous la séquence où vous étiez satisfait de vous-même et laissez-vous ressentir la sensation (... ...)

Avant de reprendre contact avec votre environnement, laissez-vous envelopper d'une couleur qui vient spontanément à l'esprit. Cette couleur vous apportera un état de bien-être pour le reste de la journée (pause)

Quand vous serez prêt, revenez ici. Prenez le temps de vous étirer et de reprendre vos énergies.

PHASE 2   OUTIL 7

Visualisation sur le concept de l'autorité intérieure

■ But

La qualité des rapports entre l'intervenant et l'apprenant influence sans contredit l'apprentissage, les actions et les interventions. Nous gardons tous en mémoire les éducateurs qui ont su nous aider et ceux qui suscitaient en nous de la crainte. En conséquence, nous conservons des images plus ou moins positives de l'autorité.

Le présent exercice a pour but de démystifier cette notion de l'autorité en l'abordant par ce que j'appelle l'autorité intérieure. Celle qui permet de nous affirmer, d'exprimer nos besoins, nos attentes, nos préoccupations. Celle qui rend avec justesse notre ressenti.

■ Lien avec les outils proposés

Cet exercice sert de lien avec l'outil 6 où l'on distingue les indices corporels qui sont aussi présents dans l'exercice sur l'autorité intérieure. Le concept sur les styles d'autorité est davantage élaboré lors de la présentation de l'outil 8.

■ Consignes

1. Tenter de réduire les stimulations extérieures (bruit, éclairage).

2. Choisir une position confortable.

3. Laisser venir à soi les images qui s'imposent.

4. Après l'exercice, partager l'expérience et compléter si nécessaire.

■ Exercice de visualisation sur l'autorité intérieure

Le texte suivant s'utilise après une période de détente afin que l'apprenant ait accès plus facilement à ses images mentales.

Maintenant que vous êtes plus disponible à vous-même, nous allons parcourir un chemin ensemble. Sur votre route vous retrouverez différentes images qui représentent l'autorité (...) D'abord dirigez votre pensée vers un endroit de rêve. Un endroit où vous aimeriez être présentement (pause) Précisez le plus possible ce qui vous entoure : les odeurs, les couleurs, les formes (pause)

Vous trouvez le site magnifique et vous décidez de vous installer confortablement (pause)

Tout en appréciant le calme et la beauté de cet endroit, au loin une forme imprécise se dirige vers vous. Une impression de bien-être se dégage de cette forme qui peut être un objet, un animal, une personne (pause) Maintenant, l'image se précise davantage et s'approche de vous (... ...) Un sentiment de respect accompagne cette rencontre (... ...) À son contact vous vous sentez calme et serein (...) Vous avez confiance en vous-même comme si votre potentiel était exposé sur une grande table (...) Prenez le temps de regarder cette exposition avec l'autre (... ...) Maintenant laissez ce potentiel s'imprégner en vous. Ce potentiel est le vôtre et désormais il fait corps avec vous (pause)

Vous reprenez contact avec cet endroit de rêve (... ...) et vous êtes dérangé par un bruit (...) Vous en cherchez la provenance (...) Vous distinguez une forme qui peut être un objet, un animal, une personne qui vous inspire de la prudence (... ...) Cette forme se précise (...) Elle cherche à prendre contact avec vous (... ...) Elle s'adresse à vous avec un ton de reproche (...) Écoutez bien ce qu'elle dit (pause) Évaluez la justesse de ses propos (pause)

Revenez doucement en contact avec cet endroit de rêve et les sentiments qui vous habitent (pause) Dans le silence qui s'installe une image s'impose à vous (...) Cette image représente le style d'autorité que vous souhaiteriez être (...) Prenez le temps de préciser cette image (pause) Vous pouvez échanger avec cette image (...) Demandez-lui si elle désire vous dire quelque chose (pause) Si vous avez des questions prenez le temps de les lui poser (pause)

Avant de terminer profitez des derniers moments dans cet endroit de rêve (... ...)

Quand vous serez prêt, reprenez contact avec votre environnement.

▪ Questionnaire pour favoriser l'échange

Lors de l'imagerie, différents styles d'autorité ont été présents sous la forme d'un personnage, d'un animal ou d'un objet quelconque. Ces symboles représentent trois formes d'autorité différentes et présentes en vous. Elles sont des parties de vous-même qui s'expriment suivant les circonstances.

1. Quels sont les trois symboles ?

2. Que vous enseignent-ils ?

3. Y a-t-il des circonstances où chacun des symboles s'exprime à travers vous ?

4. Suivant l'image d'autorité que vous désirez acquérir, qu'est-ce que vous êtes appelé à développer ?

Styles d'autorité et leur influence sur les apprenants

■ **But**

À travers les actions de l'intervenant se véhiculent les valeurs reliées à son style d'intervention. Leurs identifications s'avèrent importantes, car elles influencent le message, les actions et l'interaction. Les connaître permet à l'intervenant d'annoncer ses « couleurs », de repérer ses contradictions et de tendre vers une plus grande cohérence. Les connaître permet également à l'apprenant de mieux identifier les attentes et le contexte dans lequel s'effectuera ses apprentissages. Cela lui permettra de s'engager avec plus de confiance et de disponibilité dans ses nouveaux apprentissages. Il aura le privilège, si cela lui est possible, d'être conséquent avec ses choix : l'intervenant, le contexte, etc.

■ **Liens avec les outils proposés**

L'exercice sur l'autorité intérieure (outil 7) peut initier le sujet au thème traité dans le présent outil.

■ **Consignes**

1. À l'aide d'un conte, différents styles d'autorité sont représentés. Chacun de ces styles ont une influence directe sur l'apprentissage.

2. Lire ce conte.

3. À l'aide du questionnaire, partager avec d'autres les réponses obtenues.

■ **Conte**

Géraldine la girafe — Autorité et confiance

La girafe Géraldine vit dans une belle campagne. Étant à sa préretraite depuis un an, elle s'est installée en bordure des montagnes et d'un lac pour mieux apprécier le calme, le silence et les bonnes odeurs des champs. Tout en adorant cette vie simple et tranquille, elle aime bien se sentir utile. Aussi, durant la belle saison, elle est responsable de la qualité des programmes et des services d'un camp de vacances qui offre aux jeunes animaux de la région des activités culturelles, artistiques et sportives.

Aujourd'hui, la journée s'annonce excellente pour effectuer l'observation des moniteurs du camp Amis-Jeunes. Comme elle est un peu en retard et qu'elle ne veut gêner personne, Géraldine la girafe s'installe près de la cabane à bateaux. Non loin de là débute le cours de canotage donné par Léo le lion. Alors que les petites souris et les hamsters écoutent sans bouger la voix forte de lion Léon qui clame les règles élémentaires de la sécurité aquatique, arrivent les deux petits paons.

— Excusez-nous, lion Léo, nous savons comment vos cours sont intéressants, mais nous avons été retenus par...

— Ça va, ça va, dit lion Léo, qui en agitant sa grande queue, enchaîne sur les techniques des manœuvres du canotage.

Avant de terminer la leçon, lion Léon vérifie la compréhension de ses élèves par un exercice pratique. En montant dans le canot, les paons disent : « Avec de si belles explications, on va être des champions », et les petites souris et les hamsters suivent de près, disant : « On va suivre vos directives à la lettre ». Après 10 minutes d'essai, les résultats sont pitoyables... Tout ce qu'ils ont réussi à faire, c'est de tourner en rond avec le canot.

La girafe Géraldine observe le tout, en prend note et va se promener du côté des ateliers d'art, où les léopards et les perroquets participent à un cours de dessin. Leur moniteur, le chat Alphonse, a mis à leur disposition de beaux crayons feutres, des pastels aux couleurs chatoyantes et une très très grande feuille. Puis, il leur a dit : « Regardez autour de vous et reproduisez ce que vous voyez sur la feuille collective ».

Un peu désorienté, le perroquet Questionneur demande : « Avec quoi fabrique-t-on les bâtons de pastel ? » Le léopard Léopold, le voyant venir avec son éternelle litanie de questions, lui dit : « Si tu faisais ce qui est demandé, le travail collectif avancerait bien plus rapidement ». Voyant que chacun cherche des idées, léopard Léopold demande à certains d'exécuter tel ou tel dessin. Les perroquets, exaspérés, se mettent à picocher dans le papier, puis les léopards, affolés, gâchent avec leurs grosses pattes les dessins qui avaient pris forme.

Devant les rugissements de mécontentement et les jurons des perroquets, qu'il serait indigne de rapporter ici, le chat Alphonse sort de sa torpeur et leur dit faiblement : « Si vous n'êtes pas plus sages, monsieur le directeur ne vous permettra plus de venir à cet atelier ».

La girafe Géraldine en prend note et se dirige vers l'atelier de théâtre où, aujourd'hui, la poule Délima enseigne l'art de porter le masque aux petits rats musqués ; il existe en effet un rituel tout à fait particulier pour tenir le masque dans sa main et le porter au visage. La poule Délima passe de l'un à l'autre afin de corriger et d'encourager avec douceur pendant que les rats musqués tentent, tant bien que mal, de respecter l'aspect sacré du rituel. L'activité est presque uniquement consacrée à pratiquer et à perfectionner l'art du masque. Les petits rats musqués commencent à s'ennuyer, car ils aimeraient bien monter sur la scène, bouger et mimer le personnage représenté par le masque ; mais la poule Délima les encadre beaucoup trop pour qu'ils puissent y arriver.

La girafe Géraldine prend de nouveau des notes et se retire. Elle cherche dans sa tête de girafe comment communiquer au lion Léo, au chat Alphonse et à la poule Délima que leur façon de faire n'encourage pas les jeunes animaux à s'amuser tout en apprenant. Pendant qu'elle y songe, elle voit sur la piste d'hébertisme le chien Fido qui prodigue ses conseils aux poneys et aux singes en train de se préparer pour les compétitions qui auront lieu dans quelques jours.

Fido se montre ferme avec le petit singe Agito, mais sait l'approcher avec douceur. Puis, il donne des directives courtes et précises au poney Balladeur. La girafe Géraldine se réjouit de voir avec quelle attention le chien Fido conseille les jeunes athlètes.

Avant d'être moniteur, Fido avait acquis une bonne expérience comme accompagnateur de personnes handicapées visuelles. Il savait comment être prévenant pour ses maîtres et, en même temps, il laissait à ceux-ci le soin de prendre les initiatives nécessaires pour assurer leur autonomie. Il était doux, affectueux, protecteur et savait être affirmatif devant tout agresseur.

Suivant les observations faites sur ses quatre moniteurs, la préparation de la supervision du lendemain devient un véritable casse-tête pour Géraldine la girafe. Elle se demande comment les leur communiquer sans les brusquer, comment créer l'ouverture nécessaire afin que chacun prenne conscience de l'impact de son attitude sur les jeunes animaux. Rentrée chez elle, elle continue à réfléchir tout au long de la soirée mais aucune idée intéressante ne surgit. Fatiguée, elle décide d'aller se coucher.

Au cours de la nuit, elle fait un rêve magnifique dans lequel la licorne Kaya souligne que le caractère autoritaire du lion Léo a pour effet de maintenir l'ordre dans son groupe et qu'il sait communiquer avec clarté et précision les différentes étapes d'un nouvel apprentissage. Puis, licorne Kaya reconnaît au chat Alphonse la capacité de laisser prendre des initiatives, de repérer ainsi les leaders et de susciter des questions qui favorisent l'apprentissage. À la grande surprise de la girafe Géraldine, la licorne Kaya signale que malgré tout, la poule Délima connaît les principaux principes de l'encadrement et qu'elle recherche, à travers la maîtrise de l'art, la qualité. Afin de profiter de l'expertise du chien Fido, Kaya la licorne demande à ce dernier les stratégies qu'il utilise pour exploiter les ressources de ses athlètes en herbe.

Finalement, avant de disparaître, Kaya la licorne enveloppe Géraldine la girafe d'une belle lumière jaune, gravant ainsi dans sa mémoire de girafe une image qui restera son secret pour toujours. (Louise Villeneuve, juillet 1988).

▪ Discussion sur le conte

1. Dans ce conte plusieurs styles d'autorité sont présentés. Selon vous quel style est représenté par :
   A. Le lion Léo
   B. Le chat Alphonse
   C. La poule Délima
   D. Le chien Fido
   E. La girafe Géraldine
   F. La licorne Kaya

2. Suivant les styles représentés, quelles attitudes développent chacun des apprenants ?

3. Dans quelles circonstances avez-vous tendance à utiliser chacun de ces styles ?

4. Selon vous, quel message a laissé la licorne Kaya à Géraldine la girafe ?

PHASE 2　OUTIL 9

Jeu de rôle

■ But

Le jeu de rôle s'inscrit à différentes phases du processus d'intégration suivant l'objectif poursuivi. On le retrouve donc à la phase de l'exposition, si on désire amener l'apprenant à être sensible à ses sentiments et à ceux d'autrui ainsi qu'à être conscient de ses attitudes et de la réaction des autres à son égard. Le jeu de rôle permet de distinguer plus facilement les impressions des faits.

Le jeu de rôle s'inscrit également à la phase du mouvement de l'expérience, car il permet d'explorer les données d'un problème, de rechercher des pistes de solution et de développer certaines attitudes et comportements afin d'habiliter la personne dans ses relations interpersonnelles.

■ Lien avec les outils proposés

L'utilisation du jeu de rôle peut servir d'amorce pour l'imagerie mentale et pour une modification de la représentation mentale. En effet, si le sujet cherche à développer de nouvelles habiletés pour intervenir, s'expériencier par le biais du jeu de rôle peut aider à réduire l'écart entre ce qu'il veut faire et ce qu'il peut faire.

L'imagerie mentale ou la visualisation peut s'utiliser à la suite d'une difficulté rencontrée dans l'exercice du jeu de rôle. Par exemple, l'apprenant constate à la suite du jeu de rôle qu'il appréhende une période de négociation quelconque et qu'il n'a aucune idée comment s'effectuera cette interaction. L'utilisation de l'outil 7, conception de l'autorité intérieure et l'outil 12.3 sur l'imagerie mentale et la dimension affective, peuvent servir de complément.

■ Consignes

1. Préciser l'objectif poursuivi.

2. Situer le contexte que l'on désire simuler lors du jeu de rôle.

3. Sélectionner les personnes qui représentent les personnages identifiés.

4. L'apprenant qui amène la situation-problème détient un rôle particulier suivant l'objectif poursuivi. Par exemple : si on désire que l'apprenant soit sensibilisé aux sentiments d'autrui il est souhaitable qu'il soit cet « autre » (renversement de rôles). Par

contre, si on désire l'habiliter à certaines attitudes, il choisit le rôle qu'il est appelé à jouer dans la situation-problème.

5. Après avoir situé le contexte, les rôles, les acteurs tentent de jouer la situation pendant quelques minutes.

6. Lorsque les acteurs ont l'impression d'avoir complété la situation-problème ou s'ils ont l'impression de tourner en rond, on arrête le jeu. Une discussion sur la situation permet de déterminer ce qui habite chacune des personnes qui joue un rôle. Souvent, ce qui est exprimé, sont les sentiments cachés qui empêchent les personnes d'évoluer vers la résolution de la situation-problème.

7. Une discussion collective peut suivre la période consacrée à l'expression des acteurs.

8. Suivant le but poursuivi, on peut reprendre le jeu de rôle (avec ou sans les mêmes acteurs) à l'aide des informations fournies lors de la discussion. Cette poursuite permet d'intégrer davantage la nouvelle représentation mentale de l'apprenant.

Distinguer les impressions des faits d'observation

- ### But

Il est tentant d'inclure un jugement appréciatif ou évaluatif lors de l'opération de la collecte des données par observation directe. Notre regard est naturellement teintée d'élément suggestif, puisque lors d'une observation un fait attire notre attention plutôt qu'un autre et nous lui prêtons souvent, et bien involontairement, un jugement. Malgré cela, il est nécessaire d'apprendre à recueillir des faits en éliminant le plus possible les jugements de valeur.

Cependant, les impressions vécues par l'observateur et les réactions des personnes observées peuvent colorer les faits d'observation. Il devient intéressant de recueillir ces données, car elles contiennent des informations complémentaires aux interactions entre les parties observées, au climat de travail, aux interventions, etc. Il est possible aussi que ces impressions puissent alimenter l'analyse des données lorsqu'il s'agira de comprendre et de mettre en relation les informations recueillies.

- ### Lien entre les outils proposés

Les informations recueillies par l'utilisation du jeu de rôle, l'imagerie mentale ou la visualisation amènent des éléments diversifiés qu'il est nécessaire de distinguer. Le présent exercice peut faciliter cette distinction et préparer ainsi à l'utilisation du prochain outil, soit la classification des observations (outil 11).

- ### Consignes

1. Bien cerner la situation à observer.

2. Clarifier le but de cette observation afin de recueillir les données nécessaires.

3. Définir le rôle du ou des observateurs.

4. Définir les termes :
   — fait d'observation, c'est la description d'une réalité observable (dialogue, aménagement physique et humain);
   — impression, c'est une sensation ou un sentiment vécu par l'observateur;
   — réaction, attitude d'une personne en réponse à un stimulus.

5. Lors de l'observation directe, il est souhaitable de tout inscrire. La classification des données se fera plus tard.

6. Après la cueillette des données, si possible, les confronter avec les autres observateurs.

7. Trier les données et les clarifier chronologiquement.

■ Grille pour distinguer les impressions des faits observés

Nom : _____

Date : _____

Situation d'observation : _____

Réactions des personnes observées en lien avec le fait.	Faits d'observation : dialogue, aménagement physique et humain, etc.	Impression de l'observateur en lien avec le fait.

OUTILS DE LA PHASE 3: MOUVEMENT DE L'EXPÉRIENCE

PHASE 3 OUTIL 11

Classification des observations[6]

■ **But**

La classification des faits d'observation, des réactions et des impressions, s'avère importante pour favoriser la création ou la modification de la représentation mentale de l'apprenant et pour amorcer la compréhension des faits lors de l'analyse.

Mentionnons que cet exercice est une illustration de la phase de l'observation réflexive du modèle de Kolb et Fry énoncé dans cette étude.

■ **Lien entre les outils proposés**

À partir des données recueillies à l'exercice précédent (outil 10), la classification des observations favorisera le lien à créer entre les observations et les hypothèses qui pourront être posées par la suite.

■ **Consignes**

1. À partir des faits observés à l'aide de l'outil 10, triez les données.

2. Remplir la grille proposée. Celle-ci permettra le regroupement des faits et la formulation des énoncés.

- **Grille de classification des observations**

Nom : _____

Date : _____

Situation d'observation : _____

Faits observés   **Énoncés**

Fait 1
Fait 2
Fait 3   Énoncé des faits 1
Fait 4
Fait 5   Énoncé des faits 2
Fait 6

Réaction 1
Réaction 2   Énoncé des réactions
Réaction 3

Impression 1
Impression 2   Énoncé des impressions
Impression 3

PHASE 3 OUTIL 12

Techniques de visualisation et d'imagerie mentale

- **But**

L'imagerie mentale et la visualisation sont deux outils pédagogiques privilégiés pour favoriser la création et la modification de la représentation mentale de l'apprenant. Notre capacité d'apprendre dépend de notre capacité d'utiliser efficacement le potentiel de l'hémisphère droit du cerveau, qui traite des sensations, des images, etc., et le potentiel de l'hémisphère gauche qui ordonne, nomme, libelle nos pensées.

En éducation[7], l'utilisation de la visualisation et de l'imagerie mentale prépare le sujet à apprendre en réduidant le stress et les énergies négatives concernant l'apprentissage et en affinant la vision intérieure. L'utilisation de ces outils pédagogiques procure une accélération et un élargissement de la matière cognitive en facilitant l'apprentissage des notions de base, des habiletés techniques et psychomotrices.

Cette utilisation favorise également l'approfondissement de la dimension affective et de la conscience de soi par l'acquisition d'habileté introspective. S'ajoute à cela, le développement transpersonnel qui facilite l'exploration des aspects de la conscience, de l'unité de l'être et des capacités intellectuelles élargies par le biais de la pensée analogique, symbolique et télépathique.

Pour chacune des dimensions cognitive, affective et transpersonnelle, les étapes des différents exercices peuvent être les mêmes. De plus, les objectifs de chacune de ces dimensions peuvent être combinés. Par exemple, débuter par un exercice de détente et poursuivre avec une visualisation qui a pour contenu l'apprentissage d'une habileté à acquérir. Puis, terminer l'exercice en invitant l'apprenant à laisser apparaître l'image d'un animal qui lui donnera un objet. Cet objet pourra être un support significatif pour celui qui effectue un nouvel apprentissage (dimension affective).

- **Lien avec les outils proposés**

Chacune des visualisations et des imageries mentales suggérées peuvent s'utiliser seule ou en combinaison les unes aux autres. Ces exercices peuvent être complétés avec le dessin, l'écriture, le journal de bord.

- **Consignes**

1. Réduire les stimulations extérieures (éclairage, bruit).

2. Se placer dans une position confortable.

3. Faire un exercice de relaxation.

4. Diriger avec une voix calme et lente la visualisation ou l'imagerie mentale.

5. Faire un retour sur l'expérience. Cette période d'échange est très importante. Elle a pour but de communiquer l'expérience vécue, de la nommer et d'acheminer ces nouvelles informations à la phase de la symbolisation. Par conséquent, elle favorisera le dégagement de l'expérience.

PHASE 3   OUTIL 12.1

Exercice de visualisation favorisant la motivation et la disponibilité

Après avoir utilisé l'un ou l'autre des exercices de détente mentionné à la phase 1, il est possible d'ajouter à la fin la visualisation suivante.

Aujourd'hui, nous allons étudier ensemble la notion (mentionnez le contenu du programme à l'étude). Cet apprentissage a pour but (... ...) et servira à (... ...). Je vous invite à vous voir effectuer ce nouvel apprentissage dans un climat de calme et de détente (... ...) Vous apprenez avec beaucoup de facilité chacune des notions (nommez-les) (pause) Quand vous serez prêt, reprenez contact avec votre environnement.

PHASE 3   OUTIL 12.2

Exercice de visualisation favorisant la dimension cognitive

- **But**

Cet exercice a pour but de guider l'apprenant dans les gestes, les paroles, les actions qu'il est appelé à effectuer lors de son apprentissage. Effectuer mentalement, séquence par séquence, les phases de l'apprentissage permet au cerveau d'enregistrer la tâche à accomplir. Joindre aux images mentales, les émotions et les sentiments ressentis permet également à l'apprenant de mieux franchir les obstacles. La répétition mentale de l'apprentissage à entreprendre amène l'apprenant à effectuer graduellement et avec plus de facilité le dit apprentissage.

▪ Exercice

Cet exercice s'utilise après une courte période de détente afin que l'apprenant soit davantage disponible à l'activité dirigée.

Maintenant, nous allons effectuer mentalement, étape par étape, l'apprentissage. Nommez-le et décrivez lentement et le plus fidèlement possible chacun des gestes, ou chacune des étapes à franchir pour réussir cet apprentissage. (pause) Identifiez les sensations et les émotions qui accompagnent ces gestes (pause)

S'il existe des pensées négatives, apaisez-les à l'aide d'un message comme : « Je réussirai cet apprentissage en le faisant lentement » ou « Je demanderai facilement l'aide nécessaire » (pause)

S'il y a une étape qui est plus difficile à franchir, reprenez-la en décortiquant par la pensée chacune des étapes.

Avant de terminer, imaginez qu'une bulle est placée au-dessus de votre plexus solaire (environ 6 cm au-dessus du nombril) (pause) Cette bulle monte à l'intérieur de votre corps jusqu'au sommet de votre tête (...) Au sommet de la tête la bulle éclate et apparaît le mot souvenir (pause)

Préparez-vous doucement à reprendre contact avec l'environnement.

PHASE 3   OUTIL 12.3

Exercice de visualisation favorisant la dimension affective

▪ Consignes

1. Cet exercice doit particulièrement être utilisé lorsque que survient une difficulté lors de l'apprentissage. Ces difficultés peuvent être de l'ordre de l'attention, de la compréhension des notions enseignées, des habiletés à acquérir, des attitudes à développer.

2. Guider la période de détente d'une voix calme et lente.

3. Faire un retour sur l'expérience afin de dégager les significations naissantes.

▪ But

Cet exercice permet à l'apprenant de mettre à jour ses difficultés et favorise l'estime de soi et la disponibilité nécessaire à l'apprentissage.

▪ Exercice

Après une période de relaxation

Maintenant pensez à la difficulté que vous vivez actuellement et qui vous empêche d'être en harmonie avec vous-même. Il peut s'agir d'un événement, d'une personne, d'un sentiment désagréable (...) Laissez cette difficulté apparaître devant vous (pause) Dès qu'elle se précise, imaginez que vous l'écrivez sur un papier comme si cette écriture était les ondes cérébrales de votre cerveau. Laissez votre difficulté s'inscrire sur le papier aussi rapidement que votre pensée (pause) Laissez se dérouler complètement le fil de votre pensée à propos de cette difficulté (pause) En terminant cette écriture, demandez l'aide nécessaire pour dépasser cette difficulté (... ...) Maintenant que vous avez terminé, gardez cet écrit en votre possession.

Dirigez-vous maintenant près d'un rivage (...) Prenez le temps d'admirer cette nature (...) les bonnes odeurs (...) Près du rivage, vous trouvez beaucoup de bois sec en quantité suffisante pour faire un feu (...) Vous prenez ces morceaux de bois (...) et les placer pour faire un petit feu (pause) Doucement de petites flammes se dégagent du feu (... ...) Ce feu a la propriété de purifier votre difficulté (...) Reprenez l'écrit et en le jetant demandez à ce feu de purifier votre pensée (... ...) Remerciez ce feu (... ...) Puis, laissez les vagues du cours d'eau nettoyer le tout (pause)

Maintenant, reprenez lentement la route du retour comme si chacun de vos pas fait corps avec le sol (pause) Une tranquillité règne et vous vous sentez calme et serein (pause) Cette paix vous accompagnera tout au cours de la journée et si elle semble absente, vous pouvez revenir à ce beau rivage pour vous apaiser (... ...) Maintenant, doucement, reprenez contact avec votre environnement.

N.B. : L'exercice, tel que suggéré (écrire sur le papier en ondes cérébrales au rythme de la pensée ; brûler ce papier et remerciez le feu, etc.), peut aussi s'accomplir dans la réalité. Le fait de laisser le crayon aller au gré de la pensée permet de se libérer des tensions et brûler cette écriture illisible purifie les pensées négatives.

Exercice d'imagerie mentale favorisant la dimension transpersonnelle

■ But

Les imageries favorisant la dimension transpersonnelle permettorer les aspects élargis de la conscience (intuition, dimension spirituelle, etc.). Elles permettent aussi de dépasser les modes de pensée rationnelle, analytique. Elles permettent en quelque sorte de dépasser notre condition humaine d'apprenant pour rejoindre la « connaissance » inscrite en nous.

■ Exercice

Après une détente

Retrouvez-vous maintenant dans une belle forêt (...) où la nature est généreuse et abondante (... ...) Parcourez le sentier en prenant contact avec les arbres, les bruits de la forêt (pause) Chaque pas vous conduit à une montagne (...) chaque pas s'effectue avec facilité (... ...) Tout en gravissant cette montagne, prenez le temps d'admirer ce qui vous entoure (pause) Vous êtes étonné de la facilité avec laquelle vous parvenez au sommet (pause) Vous arrivez au sommet (...) Trouvez un endroit où vous serez bien (pause) Bientôt, vous verrez apparaître une forme, elle pourra se présenter sous une forme matérielle, animale, humaine (...) Ce sera votre guide intérieur (...) Laissez venir à vous ce guide intérieur (pause) Ce guide est rempli de sagesse (...) À son contact vous ressentez un grand bien-être (...) Ce guide est disponible pour répondre à toutes vos questions (...) Prenez le temps de le faire, il vous répondra (pause) Avant de terminer cette rencontre, le guide désire vous transmettre quelque chose (...) Prenez le temps de bien le recevoir (pause) Remerciez-le de cette belle rencontre et si vous le désirez, convenez d'une prochaine rencontre (... ...)

Prenez les derniers instants pour contempler la nature (pause) et revenez tranquillement sur votre sentier (... ...) Quand vous aurez terminé, reprenez contact avec votre environnement.

■ Exercice complémentaire

1. L'apprenant peut dessiner ce guide intérieur. Ce dessin alimentera la période d'échange.

OUTILS DE LA PHASE 4 : SYMBOLISATION

PHASE 4 OUTIL 13

Journal de bord[8]

■ But

Le journal de bord est un outil d'exploration des événements intérieurs et extérieurs. Il permet d'accéder au langage intérieur et aux prises de conscience reliées aux actions entreprises. Il favorise également la création du lien théorie-pratique, grâce au retour systématique sur le quotidien.

Suivant la nature de l'apprentissage et des objectifs visés, plusieurs styles de journal de bord peuvent être utilisés.

■ Lien avec les outils proposés

Le journal de bord est en quelque sorte l'outil qui sert de chaînon et offre une continuité à travers les phases du processus d'intégration.

■ Consignes

L'écriture d'un journal de bord est un processus d'exploration et de création. Pour ce faire, l'apprenant est invité à laisser émerger les situations qu'il désire explorer au niveau des idées, des émotions, des impressions. Même si l'écriture spontanée est plus ou moins ordonnée, une signification peut s'en dégager et plus tard l'apprenant pourra clarifier et ordonner sa pensée.

L'intervenant doit encourager l'apprenant à créer une atmosphère qui favorisera l'émergence de l'écriture spontanée.

1. Un travail de déconditionnement pour évacuer les résistances peut être nécessaire (manque de temps, manque de talent, etc.).

2. Créer un climat agréable : lieu calme, choisir cahier et crayon spéciaux.

3. Faire une courte détente avant d'écrire.

4. Encourager la personne à aller au bout de sa pensée et de ses émotions, quitte à enlever les pages qu'elle jugera trop personnelles.

5. Encourager toute forme d'expression comme le dessin, le collage, l'expression au moyen d'une image, etc.

6. Mentionner à l'apprenant s'il y aura un droit de regard de la part de l'intervenant ou non. Cette supervision du journal mérite d'être discutée. La qualité de la relation entre l'apprenant et l'intervenant, le respect des apprentissages, l'encouragement et le support à lui donner influenceront son degré d'ouverture, à lui-même d'abord et à l'autre par la suite.

7. Prévoir une période de rétroaction après avoir inscrit les commentaires dans le journal de bord.

8. S'il y a lieu, une période d'échanges entre apprenants permettra aux utilisateurs de parler des difficultés rencontrées, des moyens utilisés pour favoriser l'écriture, etc.

■ Journal de bord de style libre

L'apprenant livre spontanément l'expérience vécue en laissant émerger les sensations, les émotions, les pensées. Voici un témoignage recueilli dans un journal de bord et qui peut servir d'exemple.

EXEMPLE

*Vient le temps où je dois dresser une liste des qualités que l'on retrouve chez un intervenant idéal. En premier lieu, il apparaît une crainte que j'associe à **ma** peur de ne pas retrouver chez moi la majorité de ces qualités. Mais j'éprouve un soulagement quand je réalise qu'un parallèle positif existe entre l'intervenant idéal et moi.*

Je commence à voir clair dans cette « peur » mal définie, concernant ma compétence professionnelle. Je me sens ainsi depuis quelques années et je n'ai pas mis d'énergie pour améliorer de façon satisfaisante ma situation. J'ai un certain nombre d'objectifs que je voudrais rencontrer dans un temps record. Je m'attaque à tous en même temps sans finalement en prendre aucun. Je cherche le contexte qui me permettrait de faire ce grand pas. Mais existe-t-il ?

■ Grille d'un journal de bord[9]

L'apprenant explore une situation d'apprentissage.

Nom : _____

Date : _____

Faits	Observations	Réactions émotives	Pistes de réflexion	Actions à entreprendre

■ **Journal-guide**[10]

Ce journal comporte deux volets : le premier est celui du récit où l'on retrouve un compte rendu des événements tels que perçus par l'apprenant. Ce récit se veut plus spontané qu'analytique. Il décrit donc la perception de la situation vécue et l'expression des sentiments immédiats.

Le deuxième volet s'intitule la rétrospection. Il se définit comme une étape de réflexion sur les événements vécus. Cette démarche réflexive est axée sur la compréhension, la signification et la formulation d'hypothèses à l'égard des événements vécus. Cela entraîne une exploration en profondeur des éléments du vécu.

La rédaction de ce journal peut s'effectuer en deux temps. La partie récit devrait se faire régulièrement ; exemple : quinze minutes par jour. La partie rétrospection pourra s'effectuer à la fin de la semaine, après voir fait une relecture de la partie récit.

L'apprenant pourra diviser une feuille en deux parties comme ceci :

■ **Récit**

(description objective des événements interne et externe ; identification des faits manquants ; expression des sentiments à l'égard de l'événement)

■ **Rétrospection**

(Retour sur l'expérience ; analyse du vécu ; mise en lumière des concepts tirés de l'expérience ; formulation des hypothèses).

■ Grille d'auto-évaluation[11]

L'apprenant peut combiner le journal de bord de style libre et joindre à ce dernier une grille d'auto-évaluation. Cette grille a l'avantage de suivre l'évolution des apprentissages de l'apprenant si l'intervenant n'a pas accès au journal de bord. De plus, l'utilisation de cette grille journalière ou hebdomadaire facilitera le rapport synthèse des apprentissages, parfois exigé par les maisons d'enseignement (voir page suivante).

■ Grille d'auto-évaluation

Nom : _____

Date : _____

Ce que j'ai fait	Les difficultés rencontrées	Réactions émotives	Ce que j'ai appris (savoir, savoir-faire, savoir-être)	Orientation de mes futurs apprentissages	Réflexion/question

PHASE 4 OUTIL 14

Imagerie mentale pour expériencer les phases du processus d'intégration

Cette imagerie « Visite au musée » a pour but d'illustrer les phases du processus d'intégration des apprentissages à partir de l'expérience. À l'aide de l'imagerie et des exercices complémentaires (sculpture, dessin), l'apprenant pourra mieux se représenter les différentes phases du processus d'intégration.

■ Consignes

1. Cet exercice nécessite quelques informations supplémentaires et devront être communiquées aux apprenants avant de débuter l'activité.

2. Les éléments à leur communiquer sont les suivants :
   « Aujourd'hui, nous allons visiter un musée. L'architecture de ce musée sera celle que suggérera votre imagination. Peut-être aura-t-il l'apparence d'une grange, d'une maison de style ancestral ou d'un musée grec. L'important c'est de laisser venir à soi les images qui se présentent tout au cours de l'exercice. »

■ Exercice

Après une période de détente

Maintenant retrouvez-vous sur un chemin (pause) Identifiez les sons qui vous parviennent (... ...) la nature et les odeurs qui vous entourent (...) En marchant vous voyez un écriteau sur lequel est inscrit « Musée à 500 mètres » (...) Dirigez-vous lentement vers ce musée (... ...)

Attardez-vous un peu et regardez bien l'architecture de ce musée et ce qui l'entoure (pause) Maintenant, pénétrez dans ce musée (... ...) Vous vous retrouvez dans une grande salle, il y a plusieurs statues (...) Jetez un coup d'œil rapide... Une statue attire particulièrement votre attention (pause)

Prenez le temps de distinguer la forme (...) les matériaux (...) les couleurs qui s'en dégagent (pause) Jetez un dernier regard (... ...) Pensez que vous devez quitter bientôt ce musée (... ...) Vous vous retrouvez dehors (...) Prenez le temps d'apprécier ces quelques instants avec vous-même (pause) Quand vous serez prêt, reprenez contact avec votre environnement.

■ **Exercices complémentaires**

1. Avant de partager cette expérience, l'apprenant peut dessiner cette statue.

2. Après l'imagerie et/ou le dessin, le sujet peut s'engager dans l'exercice de la sculpture. Cela a pour but de compléter la représentation mentale de la personne (troisième phase du processus) et d'approfondir la signification naissante (phase de la symbolisation). Ajouter la dimension corporelle (phase de l'exposition) à l'imagerie mentale accroît la prise de signification.

PHASE 4 OUTIL 15

Sculpture

■ But

La sculpture a pour but d'ajouter la dimension corporelle à l'imagerie mentale. Elle favorise le mouvement de l'expérience et la symbolisation par le biais des regroupements des données : corps, mental, émotion.

La sculpture sert de complément à l'imagerie mentale « Visite au musée ». En fait, elle peut être combinée à une autre imagerie ou à un jeu de rôle ; par exemple un des personnages, dans le jeu de rôle, adopte une attitude froide et distante. On peut alors demander à ce personnage de se mettre en position debout, figée (comme une statue) et à une bonne distance de l'autre personnage. À ce dernier, on pourrait lui confier le rôle de s'agiter devant cette « statue » afin d'obtenir une réaction. Un retour sur cette mise en scène s'avère nécessaire puisqu'à partir des ressentis des deux personnages on peut favoriser la symbolisation des apprenants.

■ Consignes

À partir de l'imagerie, l'apprenant est invité à devenir la statue qu'il a observé lors de la visite au musée.

1. Se choisir un accompagnateur.

2. Tenter d'adopter dans son corps la position qu'avait cette statue.

3. Dès que la position ressemble — selon les perceptions de l'apprenant — à celle de la statue, celui-ci garde le silence et entre en contact avec les sensations et les émotions ressenties.

4. Après une minute, et à l'invitation de l'accompagnateur, l'apprenant reprend sa position habituelle. Il partage ce qu'il a pu vivre.

5. À la dernière étape, l'accompagnateur lui demande s'il voit un rapprochement entre ce qu'il a vécu lorsqu'il était la statue et ce qu'il vit dans ses apprentissages ou sa vie personnelle. En somme, quelle signification se dégage de cette expérience ?

6. Après cette expérimentation, on inverse les rôles.

7. Un échange avec les autres apprenants suit cet exercice afin de favoriser la cinquième phase déjà amorcée, soit l'action expressive.

OUTILS DE LA PHASE 5: ACTION EXPRESSIVE

PHASE 5 OUTIL 16

Imagerie favorisant l'évaluation des apprentissages

■ But

À l'aide des symboles qui se présenteront à l'apprenant lors de l'imagerie, ceux-ci serviront d'indicateurs sur son évolution au cours de ses apprentissages.

Cet exercice est une façon d'amorcer l'évaluation formative des apprentissages.

■ Consignes

1. Réduire les stimulations extérieures (bruit, éclairage, etc.).

2. Se placer dans une position de détente.

3. Lire avec une voix calme et lente le texte proposé.

4. Compléter cette imagerie avec le dessin et/ou la sculpture.

5. L'échange permet de connaître la perception de l'apprenant à l'égard de ses apprentissages.

6. Une rétroaction de l'intervenant s'avère nécessaire afin que l'apprenant puisse valider ses perceptions.

7. Cet exercice peut servir d'amorce à l'évaluation formelle. Si tel est le cas, les outils 17 et 18 serviront comme complément.

■ Exercice sur l'évolution des apprentissages : les arbres de la forêt

Après une période de détente

Maintenant, ensemble, nous irons marcher en forêt à la rencontre de certains arbres qui représenteront l'évolution des apprentissages (...) Ainsi, représentez-vous une grande forêt (pause) les sons, la lumière vous parviennent (...) les arbres sont magnifiques (... ...) Vous marchez et un des arbres attire votre attention (...) Vous vous dirigez vers lui (...) Cet arbre représente votre réalité lorsque vous avez débuté (Nommez l'apprentissage.) (...) Prenez le temps de bien l'observer (pause) Éloignez-vous maintenant et poursuivez votre chemin (...) La lumière passe à travers les arbres (...) Elle est chaude et vivifiante (...) Vous avancez avec facilité, puis un autre arbre attire votre attention (...) Celui-ci représente ce que vous êtes actuellement, c'est-à-dire davantage en possession avec vos nouveaux apprentissages (...) Prenez le temps de bien observer cet arbre (pause) Éloignez-vous maintenant et poursuivez votre chemin qui conduit au pied d'une montagne (pause) À votre droite, un arbre attire votre regard (...) Cet arbre représente ce que vous souhaiteriez être (...) Prenez contact avec cet arbre (pause) Vous décidez de vous asseoir et d'apprécier cette belle rencontre avec les arbres de la forêt (pause) Vous apercevez un oiseau (...) il virevolte au-dessus de vous (... ...) Dans son bec, il a quelque chose pour vous qu'il laisse tomber à vos côtés (... ...) Prenez le temps de regarder ce que c'est (pause) Avant de reprendre contact avec votre environnement, remerciez cet oiseau et cette forêt pour cette belle rencontre.

■ Exercices complémentaires

Le dessin

Après l'exercice de l'imagerie mentale, le sujet est invité à dessiner les trois arbres qui représentent son évolution.

La sculpture

À l'aide des dessins des arbres ou des souvenirs des images, l'apprenant peut devenir chacun de ces arbres. Ses pieds s'enracinent au sol comme le font les racines de l'arbre. Les bras deviennent les branches qui bougent au gré du vent. Chaque arbre révèle ainsi une information différente lorsque l'apprenant l'habite.

Dans le but d'unifier ces informations, la personne est invitée à enchaîner le mouvement de chacun des arbres de telle sorte que le tout forme une danse. Cette danse représente l'évolution de l'apprenant.

PHASE 5 OUTIL 17

Exercice de visualisation sur ses apprentissages

■ But

Cet exercice permettra à l'apprenant de prendre conscience des apprentissages qui furent significatifs pour lui. Il permet aussi d'avoir un bref aperçu des différents savoirs nouvellement acquis.

■ Lien avec les outils proposés

La reprise du contrat d'apprentissage (outil 4) combiné à cet exercice illustre bien la continuité et l'évaluation des apprentissages, objectifs poursuivis tout au cours du processus d'intégration.

■ Consignes

1. L'intervenant prépare une liste des apprentissages qui ont été effectués au cours de la session. Cette liste peut comprendre à la fois les objectifs poursuivis par l'apprenant et l'intervenant.

2. Réduire les stimulations extérieures.

3. Se placer dans une position de détente, en ayant accès au matériel nécessaire pour écrire.

4. Lire avec une voix calme le texte. Laisser le temps nécessaire à l'apprenant pour prendre quelques notes.

5. Les notes prises sont uniquement des points de repère pour faciliter l'échange. Ainsi des notes brèves suffisent.

6. Échanger en sous-groupe sur les apprentissages significatifs.

■ Exercice

Après une centration

Rappelez-vous ce qui s'est passé pour vous lors de la première rencontre (session ou cours) ... ... Comment étiez-vous habillé ... Quelles sont les personnes qui étaient assises à vos côtés ... Quels sentiments vous habitaient ... Le contenu de la session vous a été présenté, qu'est-ce qui fut significatif pour vous (pause)

Maintenant ouvrez les yeux et préparez-vous à écrire brièvement votre réponse (... ...) Je vais énumérer chronologiquement les divers apprentissages effectués (au cours de la session). Après la question « Qu'est-ce qui fut important ou significatif pour vous » je vous invite à noter très brièvement votre réponse.

Je commence donc par (l'intervenant nomme les notions, les expériences réalisées, les outils pédagogiques utilisés) (pause) D'après vous qu'est-ce qui fut important ou significatif (pause) Écrivez votre réponse. (L'intervenant énumère tous les points de la même façon)

Maintenant que se termine l'énumération, laissez surgir une phrase qui représenterait votre évaluation de cette session.

■ Exercice complémentaire

Cet exercice peut être adapté lors de la période consacrée à la révision de la matière. En effet, la mise en commun des apprentissages significatifs pour chacun des apprenants facilite cette révision. Pour ce faire, le formateur prépare une liste des principales notions enseignées et demande ensuite aux participants d'écrire ce qu'ils savent à propos de ces notions. Une mise en commun suit cet exercice. L'expérience nous révèle jusqu'à présent que, ce qui fut intégré par chacun, facilite les périodes d'examen.

PHASE 5 OUTIL 18

Évaluation des apprentissages

■ **But**

L'évaluation a pour but de recueillir des données observables et mesurables en ce qui concerne les objectifs fixés au départ.

Une évaluation de type formatif est en quelque sorte une rétroaction sur les apprentissages par le biais de l'identification des comportements observables reliés à l'objectif poursuivi.

On peut aussi ajouter une évaluation formative de type critéré pour dépister les problèmes d'apprentissage, les forces et les faiblesses de l'apprenant.

■ **Lien avec les outils proposés**

Cet outil est en lien direct avec le contrat d'apprentissage (outil 4). Il sert aussi de boucle au processus d'intégration des apprentissages.

■ **Consignes**

1. Identifier l'objectif poursuivi. Exemple : savoir guider un apprenant lors de son stage d'observation en orthophonie.

2. Pour établir la liste des comportements observables, utilisez l'**une** ou l'**autre** des questions suivantes :

   Quels sont les comportements d'une personne qui est capable de (indiquer l'objectif fixé) ?

   Qu'est-ce que je peux observer chez une personne qui est capable de... ?

   À quels comportements puis-je observer qu'une personne est capable de... ?

   La personne qui sait guider :
   — utilise les différents rôles joués par un guide
   — fournit des rétroactions au cours des apprentissages
   — manifeste son accord, son désaccord ou ses opinions
   — donne des renforcements positifs
   — répond aux demandes de l'apprenant
   — modifie ses interventions en fonction de l'évolution de l'apprenant
   — etc.

3. Utiliser la grille des comportements observables et mesurables (outil 18).

4. Indiquer à quel degré l'apprenant a :
   — fait une expérience
   — réussit quelques expériences
   — maîtrise cet apprentissage

5. S'il y a lieu, mentionner les remarques appropriées.

6. Cette liste peut être établie par l'apprenant ou par la mise en commun des données réciproques.

N.B. : L'échelle proposée indique seulement trois degrés. Ceux-ci méritent d'être adaptés suivant votre réalité. Pour obtenir une cohérence entre l'échelle de mesure et les apprentissages à évaluer, préalablement il s'agit de se poser les questions suivantes :
— « Qu'est-ce qui est important d'évaluer ? Réponse : le nombre d'apprentissages effectués, le taux d'expériences réussies concernant le même apprentissage, le degré de réussite de plusieurs apprentissages, etc.
— « Ai-je fourni plusieurs occasions à l'apprenant de s'expériencer ? »
— « Suivant son programme d'étude quel niveau de maîtrise doit-on exiger ? »
Selon les réponses obtenues l'intervenant devra ajuster l'échelle de mesure afin de maximiser l'évaluation des apprentissages de l'apprenant.

■ Grille des comportements observables et mesurables

Objectif poursuivi	Comportements observables	Échelle			Remarques
		Fait une expérience	Réussit quelques expériences	Maîtrise cet apprentissage	

PHASE 5 OUTIL 19

Évaluation du contrat d'apprentissage

■ But

L'évaluation du contrat pédagogique vise à vérifier si les objectifs fixés ont été atteints. Cette évaluation fournit à l'apprenant les résultats de son apprentissage et les perspectives des apprentissages ultérieurs. Aussi, cette évaluation permettra peut-être d'améliorer la qualité des interventions et des apprentissages.

■ Lien avec les outils proposés

Cet exercice est un autre outil qui complète l'évaluation du contrat d'apprentissage (outil 4) et boucle le processus d'apprentissage amorcé.

■ Consignes

1. Par le biais des objectifs fixés dans le contrat pédagogique, déterminer les comportements observables à l'aide de l'outil 18.

2. Indiquer dans quelle situation il a été atteint.

3. Indiquer quel moyen a été utilisé pour atteindre cet objectif. Ceci permettra d'évaluer la validité et la pertinence des outils pédagogiques utilisés au cours des apprentissages.

4. Il est suggéré de remplir individuellement la grille afin que l'apprenant apprenne à s'auto-évaluer.

5. La mise en commun des résultats (intervenant, apprenant) permettra de partager les différentes perceptions et fournira de part et d'autre une rétroaction sur l'évaluation du contrat d'apprentissage.

6. Il est possible de joindre à cette grille une échelle d'évaluation des apprentissages, outil 18.

7. Afin de permettre à l'intervenant et à l'apprenant d'effectuer les modification nécessaires, une évaluation fréquente s'avère essentielle.

■ Grille d'évaluation du contrat d'apprentissage

Objectifs	Comportements observables	Situation/Expérience	Outils pédagogiques utilisés

Notes

1. Pagé, André, Auclair, Mona, « Vidéoscopie, visualisation et supervision pédagogique », *Recherches psychopédagogiques*, volume 1, n° 2, automne 1988, pp. 30-40.

2. *Idem.*

3. Ce guide méthodologique s'inspire du document de CANTIN, Gabrielle, *Identification d'un projet individuel de perfectionnement*, Faculté des Sciences de l'Éducation, Andragogie, Université de Montréal, 1978.

4. Cet outil est une adaptation d'un exercice utilisé dans le cours « Visualisation et imagerie mentale, par André Paré, département de psychopédagogie, Université Laval, hiver 1988.

5. Cet outil tel que présenté est une adaptation du contrat d'apprentissage utilisé par le département de travail social à l'Université du Québec à Montréal.

6. Cet outil est une adaptation d'un exercice proposé dans le livre de Paquette, Claude, *Vers une pratique de la supervision interactionnelle*, Éd. Interaction, Longueuil, 1986.

7. Le lecteur peut consulter l'excellent document de Galyean, Beverly-Colleene, *Visualisation, apprentissage et conscience*, Centre d'intégration de la personne de Québec inc., Québec, 1986.

8. Se référer au document de Paré, André, *Le journal instrument d'intégrité personnelle et professionnelle*, Centre d'intégration de la personne du Québec inc., Québec, 1984.

9. Adaptation du *Guide pédagogique d'évaluation formative et de pratiques d'intervention* en techniques d'assistance sociale.

10. Cet outil pédagogique est une adaptation de la grille suggérée par Gervais, Fernand, *Projet d'intégration de la formation, journal-guide*, Université Laval, 1981.

11. Cette grille est une adaptation de celle suggérée par Michèle Leduc et Pierre Maheu aux étudiants de l'Université du Québec à Montréal, au département de travail social.

CONCLUSION

À l'origine de cette étude, mon intérêt avait porté sur la nécessité maintes fois ressentie, de cerner d'une part le long cheminement suivi par l'apprenant et d'autre part la relation pédagogique susceptible de favoriser l'intégration des apprentissages.

L'expérimentation de cette étude auprès de plusieurs groupes d'apprenants me permet maintenant de proposer certaines conditions à la réalisation du processus d'intégration.

Les conditions pour la réalisation du processus

Intégrer, c'est faire sienne les significations qui se dégagent d'une expérience. Pour ce faire, l'apprenant a besoin avant tout d'être touché dans ses intérêts et rejoint dans ses intentions pour que l'intégration s'accomplisse. Ainsi, les contenus doivent apparaître significatifs pour qu'il soit en mesure de leur accorder une importance au moment où il les perçoit et au moment où il commence à leur donner un sens.

En conséquence, il s'avère important de tenir compte, dans toute activité éducative, du contenu livré ainsi que des influences possibles des comportements de l'intervenant, des participants et des outils pédagogiques utilisés. Cela a d'autant plus d'importance que l'apprenant percevra sélectivement le contenu d'après ses expériences antérieures, ses intentions, sa motivation à exploiter ses expériences et surtout les apprentissages qui en découlent. Ceci nécessite donc un engagement à parfaire ses savoirs, savoir-faire et savoir-être.

Dans le but de favoriser cet engagement, un climat propice à l'apprentissage s'avère un élément essentiel à l'intégration. Un climat d'acceptation et d'empathie, établi de concert entre le formateur et les apprenants, permet une meilleure transmission des connaissances et une plus grande expression des significations suite au vécu expérientiel des participants.

De plus, l'utilisation de l'approche expérientielle règle aussi le dilemme de la relation intervenant-apprenant en regard des connaissances. La transmission des connaissances est à la fois ce qui peut lier et séparer l'intervenant de l'apprenant.

Cependant, ce type de rapport au savoir, eu égard au vécu expérientiel et aux significations qui s'en dégagent, placent souvent le participant dans un état de dissonance cognitive. Dans cette situation, il est appelé à décider ce qu'il a à faire avec ces constatations. Devra-t-il ou non changer sa façon de s'y prendre ? Devra-t-il modifier certains de ses comportements et lesquels ? Placé devant ce dilemme, l'apprenant est plus en mesure de devenir son propre maître. Et, dans cette situation, le formateur fait figure d'accompagnateur et devient « la représentation classique de l'autorité charismatique, une autorité qui doit être mais surtout ne pas paraître » (Filloux, 1974).

En somme, l'intégration semble dépendre autant de cette forme d'autorité que des qualités des conditions internes et des événements externes. D'une part, en situation d'apprentissage, l'hémisphère cérébral droit sait alors que l'hémisphère cérébral gauche comprend et connaît. D'autre part, l'apprenant doit nommer son ressenti, son vécu expérientiel s'il veut progresser dans le continuum des savoirs, savoir-faire et savoir-être. L'adéquacité des outils pédagogiques et la qualité relationnelle permettent alors à chacun de s'engager et de s'exprimer avec liberté et authenticité.

Pour réaliser le processus d'intégration des apprentissages, une autre condition importante réside dans le temps nécessaire à lui consacrer. En effet, cette intégration ne s'effectue pas d'emblée car c'est un cheminement nécessitant une émergence lente et progressive des processus interne et externe. Toute transformation s'effectue dans le temps, phase après phase, comme une longue réalisation de soi-même.

Les conditions pour l'application du modèle

L'application d'une telle modélisation, dans le milieu scolaire, universitaire ou de formation professionnelle, nécessite d'apporter à l'acte pédagogique, au contexte de l'enseignement et de formation un certain nombre de modifications si le but ultime de l'intervention pédagogique consiste bel et bien à favoriser le processus d'intégration des apprentissages.

Premièrement, il semble plus avantageux que l'évaluation des apprentissages soit d'orientation formative afin que le cheminement de l'apprenant soit mis en évidence. Si on suppose que les connaissances et les expériences significatives conduisent l'individu vers l'intégration de ses apprentissages, alors il devient nécessaire de faire confiance au déroulement et à la progression du processus d'apprendre. D'ailleurs, cette étude me laisse avec la quasi-certitude que l'on ne peut s'attendre à ce que l'apprenant intègre réellement des connaissances et évolue dans le continuum des types de savoirs, si l'évaluation se veut avant tout normative, si la matière prime sur l'évolution personnelle et si les besoins et les intérêts personnels ne sont nullement considérés lors de la formation.

Deuxièmement, favoriser l'apport de situations problèmes ou d'expériences concrètes vécues par les apprenants non seulement permet de répondre aux besoins des participants de se retrouver avec du matériel significatif d'apprentissage, mais sert aussi d'illustration aux théories existantes qui, en retour, viennent jeter un éclairage sur la pratique. En tentant de joindre la théorie à la pratique ou la pratique à la théorie, cela permet aux participants de connaître les fondements sur lesquels peuvent prendre appui leurs intuitions et leurs interventions. En saisissant ainsi leurs propres démarches, ils s'habilitent à la généralisation, au transfert et à la retransmission de ces apprentissages.

L'application de la modélisation est en somme un amalgame de plusieurs facteurs tels que la motivation de l'apprenant, son engagement dans le processus d'apprentissage, ses besoins et ses intentions, à cette période donnée de son développement ; l'intérêt que porte son milieu à ses apprentissages, la qualité interactionnelle vécue avec les autres participants et le formateur ainsi que le climat d'apprentissage favorable à son évolution.

Il faut ainsi tenir compte du degré de compétence de l'intervenant, de son style d'autorité, de la pédagogie utilisée, de la gradation des apprentissages, des outils pédagogiques qu'on favorise, de la connaissance de l'être apprenant, du respect porté aux participants, de la connaissance des profils pédagogiques, de sa capacité à appliquer une approche expérientielle, de la possibilité de l'utiliser dans un contexte d'enseignement ou de formation, de sa politique et sa philosophie de l'éducation, etc.

Dernière touche personnelle

La démarche suivie lors de l'application et de l'élaboration du processus d'intégration des apprentissages indique la nécessité d'avoir des indicateurs qui servent de paramètres pour suivre l'évolution qualitative et/ou quantitative de l'intégration des apprentissages.

La démarche suivie dans tout ce processus éducatif prend une valeur universelle du fait que l'apprenant s'est reconnu dans son cheminement intellectuel, personnel, émotionnel, etc. Cette démarche s'avère pertinente à chaque fois qu'il y a les pôles autorité et confiance qui sont mis en présence et l'importance capitale de l'acte pédagogique qui orchestre les événements externes en harmonisation avec les conditions internes ; ce qui évite de faire de l'apprenant une personne à qui on veut enseigner ou apprendre des notions qu'il évalue peu significatives.

Ainsi, je souhaite que l'élucidation du processus d'intégration des apprentissages soit avant tout un instrument de compréhension qui permette (comme il m'a permis) d'être attentif et sensible à l'être apprenant en soi-même, et que la connaissance de l'être apprenant est la finalité de tout le processus éducatif.

Finalement, j'ai appris à travers cette étude, à me connaître comme être apprenant, à m'accepter et à accepter de n'être qu'une apprenante. Ce quelque chose qui commence et qui ne s'arrête jamais.

CE QUE DISENT CERTAINS AUTEURS

Certains auteurs ont abordé indirectement la question de l'intégration des apprentissages. Les auteurs cités dans cette étude ont influencé le modèle suggéré : « Le processus d'intégration des apprentissages[1] ».

Le modèle de Piaget

À travers ses écrits, Piaget a clairement mentionné que les six stades successifs de l'évolution de l'intelligence se situaient sur un continuum et que ces stades démontraient un ordre d'acquisition caractérisé par un aspect intégratif. Selon lui, l'apprentissage est le résultat de la maturation, du milieu ambiant tant physique que social et de l'équilibre, facteur qui joue un rôle de coordination entre l'individu, son expérience, ses actions et l'environnement dans lequel il évolue.

Dans un contexte éducatif, l'acquisition des connaissances signifie l'évolution. Cette évolution s'intéresse à la transformation de l'intervenant, c'est-à-dire à la construction des connaissances et à la modification des structures. Ainsi, pour Piaget, acquérir une connaissance nouvelle, c'est incorporer un élément de l'environnement à un « schème » déjà existant (assimilation), lequel sera ainsi modifié (accommodation). Donc apprendre une « nouvelle chose », c'est d'abord l'assimiler (comprendre) à une connaissance antérieure et pour qu'il y ait acquisition, il faut qu'il y ait modification de cette connaissance antérieure.

L'acquisition d'une nouvelle connaissance peut, en étant intégrée dans un contexte plus général de l'évolution des connaissances, être suscitée plus favorablement par la compréhension de la dynamique entre le résultat anticipé, sa réalisation approximative et les spécificités différentielles entre l'ancienne connaissance et celle à construire.

L'intérêt de cette théorie, pour cette présente étude, réside dans le fait que les observations de Piaget sur l'évolution de l'individu, provient de l'interaction entre l'individu et le milieu ambiant. De cette interaction naît une structuration graduelle : « Les structures mentales ne peuvent s'enseigner comme telles, elles ne peuvent se construire qu'à partir du réel et de l'action[2] ».

C'est en s'appuyant sur le rôle structurant de l'action du sujet et de l'interaction entre le sujet et son milieu que Piaget identifie deux moyens d'adaptation pour l'individu : soit l'assimilation (intériorisation du milieu extérieur) et l'accommodation (ajustement progressif des nouvelles données). Ces deux mécanismes sont reliés et interviennent tour à tour pour s'équilibrer progressivement au cours du développement de l'individu.

En éducation, la théorie de Piaget peut être considérée comme une base essentielle à partir de laquelle l'éducateur peut mieux comprendre le processus en cours et surtout bien saisir que ce n'est pas par le biais d'une répétition forcée d'un élément à apprendre que l'individu débouchera sur l'acquisition de cette connaissance. Cette théorie amène donc l'éducateur à observer et à répertorier les nouvelles connaissances susceptibles d'être acquises, ainsi qu'à faire une analyse plus précise des étapes d'acquisition des connaissances pour comprendre l'évolution par laquelle passe progressivement l'apprenant.

Le modèle de Gagné

Dans ses écrits sur les principes d'apprentissage, Gagné considère que : « L'apprentissage est le résultat de l'interaction entre l'étudiant et son environnement. Nous savons que l'apprentissage a eu lieu lorsque nous observons un changement de performance chez l'individu[3] ». Il mentionne aussi que les événements qui provoquent l'apprentissage viennent de l'extérieur (la stimulation, le climat propice) et de l'intérieur (les activités du système nerveux central). Ces événements internes et externes forment un tout que Gagné appelle « l'acte d'apprentissage ».

D'autre part, le modèle de Gagné (1976) exploite de l'interaction entre l'individu et son environnement à l'aide de la théorie du traitement de l'information mais aussi par la planification et la mise en place des activités et/ou moyens pédagogiques utilisés par l'éducateur pour favoriser l'accomplissement du processus interne de l'apprenant. Les phases énumérées du processus suivent un continuum et sont toutes nécessaires au processus d'acquisition des connaissances. Suivant le modèle suggéré dans ce livre, l'apport de Gagné devient précieux en ce qui concerne les conditions internes et les événements externes de « celui-qui-apprend ». L'explication du modèle de traitement de l'information[4], permet en effet d'induire ce qui se passe dans la tête de l'appre-

nant et incite l'éducateur attentif à mieux choisir les activités et moyens pédagogiques favorisant le processus d'intégration.

Le modèle de Steinaker et Bell

À titre de complément aux différentes phases des processus interne et externe
de l'acte de l'apprentissage mentionné par Gagné, la taxonomie expérientielle
abordée par Steinaker et Bell[5] est basée sur l'expérience globale de l'individu.
Pour eux, l'expérience ne peut être comprise en la fragmentant ou en l'iso-
lant. D'ailleurs, lorsque l'individu pense à une expérience vécue, il y pense
comme à un événement ou une situation globale en ne séparant pas son intellect, son émotivité, son attitude et son comportement. L'expérience est une
partie de toute cela et forme un tout. En conséquence, la taxonomie expérientielle se base sur la taxonomie cognitive, la taxonomie affective et la taxonomie psychomotrice.

Ce modèle a été choisi pour cette étude parce qu'il permet de préciser
davantage l'interaction entre le sujet et son environnement. Les auteurs font
un lien continuel entre les conditions internes et la nécessité de partager ou
d'échanger avec l'environnement afin que l'individu arrive à mieux posséder
son expérience. L'apport de Steinaker et Bell devient particulièrement intéressant du fait qu'ils tiennent compte de l'expérience corporelle et émotionnelle
lorsque l'individu effectue un nouvel apprentissage.

Le modèle de Gendlin

Dans la description de son modèle, Gendlin tient compte davantage du processus interne lorsqu'il parle du développement de l'expérience subjective par
le biais des symboles et des significations ressenties. Gendlin considère aussi
le processus externe en mentionnant que l'intervenant contribue à certaines
conditions interpersonnelles en créant un climat affectif favorable à la démarche d'auto-exploration expérientielle. Pour ce faire, l'intervenant apporte un
certain apport à la tentative de recherche du sens (la symbolisation) de l'apprenant. Il peut ainsi intervenir sur les significations ressenties, sur les symboles
et sur le processus de focalisation.

Le processus d'interaction entre les significations ressenties et les symboles (*experiencing*) se déroulent continuellement chez tout individu, ce processus peut nécessiter une intervention.

L'intérêt du modèle de Gendlin[6], pour cette étude, réside dans le fait qu'il
adhère à la conception que c'est toute la personne qui est en éveil lors d'une
expérience. Il mentionne bien que dans tout changement, il existe une expérience émotionnelle (*felt experiencing*) et que la signification de cette expérience
n'est pas seulement une structure logique et/ou quelque chose à propos de
l'expérience mais bien l'effet d'une expérience émotionnelle. Ainsi, la signification est formée et pensée comme une interaction entre une expérience
(*experiencing*[7]), des symboles et des choses.

Le concept « référent direct », souvent mentionné dans le texte, est emprunté à Gendlin. D'après l'auteur, le référent direct est présent dans les données émotionnelles internes lors de l'*experiencing*, et c'est dans la sensation interne et directe que l'on trouve le sens ou la signification de ce que nous pensons ou de ce que nous disons. Ainsi, « expliquer c'est faire progresser un processus ressenti corporellement [...]. Il y a une interaction, plutôt qu'une équation, entre l'*experiencing* tel que l'individu le ressent et les symboles (ou les événements)[8] ».

De plus, le concept de focalisation, emprunté à Gendlin, a permis de mieux cerner la quatrième phase du processus d'intégration des apprentissages, soit la symbolisation. En effet, au niveau du processus émotionnel, la focalisation (*focussing*), telle que décrite par Gendlin, est un processus par lequel l'individu se centre sur une expérience vécue et la *symbolise* progressivement. Ce processus se formule en quatre phases, et permet de mieux saisir ce que peut être le processus global qui découle du fait qu'une personne trouve un accès au référent direct de son *experiencing*. Ainsi, la focdalisation fonctionne comme un processus circulaire. C'est dans le processus de symbolisation que se produit tout changement de la personnalité.

Le modèle de Garneau et Larivey

Le modèle de Garneau et Larivey s'inspire des phases de focalisation de Gendlin. Ils décrivent six étapes du processus naturel de croissance et formulent deux grands postulats de base :

1. *la création perceptuelle* : la personne est le créateur de son univers. Son organisme[9] sélectionne et organise en un tout cohérent les éléments de la perception. De plus, ce que l'individu perçoit de l'univers immédiat reflète l'expérience du moment. Il est le seul à pouvoir être en contact direct et complet avec son expérience ;

2. *la régulation organismique* : la personne est la seule qui ait le pouvoir de se créer à chaque instant. Chaque action qu'elle pose consiste en un choix délibéré ou automatique fait en fonction de la situation présente. Étant donné que la personne est la seule à pouvoir être en contact avec son organisme et qu'elle décide de ses choix, elle est le créateur de son existence à chaque moment.

Ces postulats se résument à la formulation de Merleau-Ponty (1945) : « La seule chose que je peux expériencier directement, c'est moi, et je suis le seul à pouvoir le faire. » Ce postulat fut d'ailleurs repris par Gendlin (1962), Rogers et Kinget (1966), puis Garneau et Larivey (1979).

Chaque modèle exploite donc l'information que l'organisme fournit à l'individu. En tenant compte de ces informations, l'individu s'achemine vers un dégagement des significations de ses nouvelles expériences et connaissances. Finalement, l'individu en arrive à l'action expressive de son expérience, lieu de parole mais aussi d'aboutissement et de création.

Ces auteurs mettent davantage l'accent sur la description du processus interne et mettent moins en évidence le processus externe même si pour eux, l'individu en « expérienciant » est à la fois en interaction avec son environnement et en contact avec son expérience interne.

Finalement, grâce à l'apport de tous ces auteurs, le lecteur peut consulter le tableau comparatif des différentes modèles déjà mentionnés et le modèle suggéré par cette étude.

Notes

1. À cet effet, le lecteur doit se référer au tableau 1 placé au deuxième chapitre, soit le processus d'intégration des apprentissages.

2. Paré, André, *Créativité et pédagogie ouverte*, vol. 2, Éd. NHP, Laval, 1977, p. 55.

3. Gagné, Robert, *Les principes fondamentaux de l'apprentissage*, Éd. HRW, Montréal, p. 176, p. 124.

4. Le modèle de traitement de l'information est présentée au troisième chapitre.

5. Steinaker, N.W., BELL, R., *The Experiential Taxonomy*, Academic Press, New York, 1979.

6. Gendlin, Eugene T., *Experiencing and the Creation of Meaning*, The Free Press of Glencœ, N.Y., 1962. Voir aussi *Une théorie du changement de la personnalité*, CIM, 3ᵉ édition, Montréal, 1975.

7. Le mot experiencing désigne un processus émotionnel ou ressenti (*felt*). Ainsi, l'événement ressenti intérieurement est éprouvé corporellement. L'*experiencing* est donc un « processus concret et corporel qui constitue la matière des phénomènes psychologiques et des phénomènes de personnalité » (Gendlin, 1975).

8. *Une théorie du changement de la personnalité, op. cit.*, p. 22-23.

9. Garneau, Jean, Larivey, Michelle, *L'auto-développement*, Red Inc., Montréal, 1979, p. 71.

LEXIQUE

Affectif
Processus qui englobe le développement de l'image de soi, des sentiments, des émotions, des attitudes, des valeurs. *Dimension affective. *Domaine affectif.

Acquis
Ensemble de connaissances et d'habiletés qu'un individu a développé. *Acquisition des expériences.

Acte pédagogique
Communication orale écrite ou gestuelle, transmise au sujet dans le but de susciter chez lui l'atteinte d'objectifs (Legendre, R., 1988).

Apprenant
Celui qui saisit, au moment où il saisit (Bloch, Clouzot, 1981).

Apprendre
Saisir, s'approprier, acquérir et développer des connaissances, des habiletés et des attitudes.

Apprentissage
La réorganisation interne des relations existantes entre l'environnement et ce qui est inscrit en nous.

Apprentissage expérientiel
Somme d'acquisition de connaissances, d'habiletés et d'attitudes obtenue par l'expérience. Modèle développé par Kolb et Fry (1975) qui consiste à expérimenter des situations concrètes, à observer les résultats obtenus, à poser des hypothèses et à les soumettre au test de la réalité.

Apprentissage significatif
Acquisition de nouvelles connaissances, habiletés et attitudes qui s'expriment d'une façon manifeste chez le sujet.

Attention
Action de centrer son esprit sur une activité, une personne.

Attitude
Une disposition intérieure acquise qui porte un individu à agir favorablement envers un objet, une personne pour une situation.

Autorité
Pouvoir de référence que l'on accorde à l'intervenant en terme de reconnaissance de ses connaissances, de ses habiletés et de ses attitudes.

Autorité intérieure
Pouvoir individuel qui commande nos pensées et nos actions.

Auto-évaluation
Jugement que porte le sujet sur la qualité de son travail, de ses acquisitions et de son cheminement.

Besoin
Sentiment de manque. Écart entre ce qui est et ce qui est désiré ou souhaité.

But
Résultat que l'on se propose d'atteindre.

Capacité
Aptitude de quelqu'un lui permettant de réussir dans un domaine déterminé.

Centration
Activité volontaire de courte durée où l'attention de l'individu est portée sur les stimuli internes.

Changement
Modification des comportements que permettent la transformation et l'amélioration des connaissances, des habiletés et des attitudes.

Cognitif
Processus interne par lequel un individu acquiert des connaissances, des informations ainsi que l'utilisation des avoirs. *Dimension cognitive. *Cognition. *Structure cognitive.

Conditions internes
Ce sont les exigences nécessaires et essentielles à l'accomplissement du processus interne des apprentissages.

Compétence
Habileté acquise, grâce à l'assimilation de connaissances pertinentes et à l'expérience, et qui consiste à circonscrire et à répondre des problèmes spécifiques (Legendre R., 1988).

Comportement
Ensemble des réactions ou des mouvements émis par un individu qui agit en réponse à une stimulation.

Comportement observable
Réactions ou mouvements suffisamment évidents pour être observés par deux ou plusieurs observateurs.

Conceptualisation
Formation des concepts à partir de faits d'observation. *Conceptualisation abstraite* : troisième phase du modèle de Kolb et Fry (1975).

Connaissance
Acquisition de savoirs par le biais de l'observation, de l'expérience et de l'étude.

Conscience
Perception des phénomènes qui nous renseignent sur le sens des choses ou de l'existence. *Prendre conscience.*

Contrat d'apprentissage
Document écrit et conclu avec tous les partenaires engagés dans l'apprentissage. Il comprend les objectifs poursuivis, les activités, les outils pédagogiques utilisés, l'échéancier, etc.

Disposition
État d'esprit qui s'exprime par la réceptivité et la disponibilité d'une personne lors de ses apprentissages. *Disposition mentale.*

Disponibilité
État d'esprit qui s'exprime par la capacité d'être attentif et réceptif physiquement, intellectuellement et psychologiquement. *Motivation et disponibilité* : première phase du processus d'intégration des apprentissages.

Éducateur
Personne qui a un rôle de formation et de développement. Syn. : intervenant, formateur.

Effecteurs
Portes de sortie de l'organisme. Ils véhiculent la réponse de l'individu vers l'environnement sous forme verbale ou non verbale (Noiseux, G., 1984).

Émotion
Réaction affective dans laquelle la signification est sentie et parfois retenue dans l'expérience.

Environnement
Éléments divers (personnes, choses) plus ou moins organisés qui constituent le milieu dans lequel évolue l'individu. Syn. : contexte, cadre, milieu. *Environnement pédagogique* : milieu qui suscite les apprentissages.

État subjectif
Manière d'être en contact avec ses désirs, ses attentes, ses besoins.

Événements externes
Ce sont les conditions nécessaires et essentielles à l'accomplissement du processus externe (provenant de l'environnement) des apprentissages.

Évaluation
Processus d'appréciation des acquis et/ou du rendement pour déterminer l'atteinte des objectifs. *Évaluation des acquis. *Évaluation des apprentissages.*

Expérience
Connaissances et habiletés acquises par une pratique jointe à l'observation.

Experiencing   ꞏ
Processus émotionnel et corporel qui sont ressentis par l'individu lorsqu'il est en contact avec son expérience immédiate.

Expériencier
Ressentir intérieurement et éprouver corporellement l'expérience en cours.

Formateur
Celui qui par sa compétence professionnelle et par son expérience est appelé à organiser ou à donner une activité de formation (Fernandez, J. 1988).

Générateurs de réponse
Mécanisme qui capte la solution, la réponse.

Image de soi
Représentation négative ou positive qu'un individu accorde à lui-même.

Imagerie mentale
Activité qui consiste à la réorganisation créative d'éléments mnémoniques exploités en dehors de leur contexte d'origine.

Indicateur
Indice qui sert de guide ou de renseignements sur les comportements, l'évolution d'un processus et la réalisation des apprentissages. *Indicateur des conditions internes et des événements externes.*

Interaction
Influence réciproque entre des phénomènes, des processus, des personnes et les effets qui en résultent.

Intervention pédagogique
Action effectuée par le formateur dans le but de motiver et de soutenir l'apprenant dans une situation d'apprentissage.

Jeu de rôle
Technique qui consiste à partir d'une situation précise, à assigner des rôles qui représentent des personnes tirés d'une situation réelle.

Journal de bord
Instrument dans lequel sont consignés les activités, les pensées, les réflexions de l'apprenant et qui vise à dégager les significations qui apparaissent au cours de ses apprentissages.

Intention
Mouvement anticipé de l'organisme en vue d'une relation spécifique entre l'individu et son environnement (Saint-Arnaud, Y., 1983).

Intentionnalité
Caractère qu'a la conscience d'être toujours orientée vers un but.

Intégration des apprentissages
Processus par lequel s'enchaînent une série de constatations, de synthèses et de significations successives, symbolisées et exprimées dans des termes qui renvoient au savoir, au savoir-faire et au savoir-être.

Intervenant
Celui qui, dans un contexte donné, décide d'agir pour influencer directement ou indirectement un autre individu (Paquette, C., 1985).

Mémoire sensorielle
Responsable de la perception initiale, elle tente d'identifier et de reconnaître les éléments déjà connus des éléments inconnus (Noiseux, G., 1984).

Mémoire à court terme
Exécution des principales opérations qui conduiront à des éléments de réponses, c'est-à-dire la création et/ou la modification de la représentation mentale ou symbolique.

Mémoire à long terme
Structure où est consigné tous les savoirs. Syn. : banque des acquis, banque de données.

Motivation
Ensemble des motifs (désir, intention) qui pousse une personne à agir vers l'atteinte d'un objectif. La motivation s'avère essentielle pour apprendre et comprendre la connaissance et la pertinente de l'objet d'apprentissage. *Motivation et disponibilité* : première phase du processus d'intégration des apprentissages.

Objectif
Résultat précis que le sujet cherche à atteindre. L'objectif doit indiquer ce qui sera fait (quoi), qui le fera, pourquoi, quand, où. *Objectif d'apprentissage.* *Objectifs général et spécifique.*

Objet d'apprentissage
Ce sur quoi s'oriente le travail, l'étude, les activités dans le domaine du savoir. L'objet d'apprentissage est choisi en fonction des objectifs d'apprentissage, de l'évaluation de l'apprenant dans son processus d'apprentissage ainsi que des ressources matérielles et humaines disponibles. *Syn.* : objet de travail.

Objectivation
Processus qui permet à l'individu de porter un regard sur lui-même (détacher de soi).

Observation
Étude attentive et méthodique des aspects d'un objet, d'événements, de personnes dans le but de recueillir des faits et de mieux les connaître.

Participant
Personne qui prend part aux activités pédagogiques. *Syn.* : apprenant, personne ou individu en apprentissage.

Perception
Fonction par laquelle l'esprit est conscient des stimuli internes ou externes au moyen des informations sensorielles ou sous l'influence des dispositions de l'individu ou des significations acquises de ses expériences passées (Coté, R.L., 1987). *Perception sensorielle.*

PHASES DU PROCESSUS D'INTÉGRATION :

Première phase
Aspects successifs d'un processus en évolution. La disponibilité et la motivation sont le moteur ou le facteur énergétique nécessaire pour enclencher le mouvement et la poursuite des autres phases du processus d'intégration. Ce sont des principes actifs qui incitent l'apprenant à prendre une direction.

Deuxième phase
L'exposition constitue une expérience vécue par l'apprenant dans laquelle l'organisme (le corps, le mental, l'émotionnel) est mis en contact avec la réalité à apprendre.

Troisième phase
Le mouvement de l'expérience, c'est l'apparition de nouveaux aspects expérientiels permettant d'élargir et de préciser la connaissance du problème ou la représentation mentale que le sujet se fait de l'expérience avant que la signification ait pris place.

Quatrième phase
La symbolisation est la transposition ou, plus précisément, la traduction sous forme verbale ou visuelle d'un senti, d'un ressenti ou d'un pressenti d'où émerge la signification.

Cinquième phase
L'action expressive, c'est la communication et le partage de l'expérience par lesquels l'individu cherche, en prenant appui sur sa symbolisation de l'expérience, à dégager des significations en termes de savoir, savoir-faire et savoir-être.

Prise de conscience
La reconnaissance de ce qui était ignoré jusqu'à présent.

Prise de signification
Reconnaissance et dégagement du sens accordé aux connaissances et expériences effectuées par l'apprenant.

Processus
L'évolution des phénomènes cognitifs, affectifs et psychomoteurs dans laquelle l'apprenant cherche à développer son potentiel par le biais de ses connaissances, de ses habiletés et de ses attitudes. C'est un mouvement circulaire où la dernière phase du cycle constitue un premier pas vers le début d'un nouveau cycle partiellement relié au précédent.

Processus mentaux
Ensemble des niveaux du développement mental.

Récepteurs
Canaux qui agissent comme porte d'entrée du système de communication. Ils reçoivent et acheminent l'information provenant de l'environnement. *Syn.* : canaux sensoriels.

Référent
Ce qui renvoie au sens ou à la signification de ce que nous pensons ou de ce que nous disons. *Syn.* : représentation mentale ou symbolique.

Relaxation
Technique qui favorise le relâchement des tensions et amènent la conscience et l'attention sur les processus internes. *Détente. *Centration.*

Relation d'apprentissage
Rapport existant entre l'apprenant et l'intervenant (formateur, éducateur) axé sur l'objet d'apprentissage en tenant compte de la qualité du rapport existant de l'évolution de l'apprenant, de ses expériences et de ses connaissances antérieures. *Syn.* : relation pédagogique, relation apprenant-intervenant.

Représentation mentale
Action de faire apparaître de manière concrète les images (visuelles, sonores ou sensorielles) d'une chose abstraite. Elle classifie, ordonne les images internes et forme ainsi le contenu ou l'objet de connaissane. *Syn.* : représentation symbolique, le référent.

Rétroaction
Information en retour. Renseigne l'interlocuteur (le récepteur) sur ce que pense la personne (émetteur) qui communique le message. Fait partie de la dernière étape du traitement de l'information lorsque la personne retourne la réponse à l'environnement.

Savoirs
Somme de connaissances, d'attitudes, d'habiletés où les acquisitions sont interdépendantes les unes aux autres. Ils sont les résultats de l'apprentissage.
Savoir : changement dans le sens d'une amélioration des connaissances.
Savoir-faire : changement dans le sens d'une amélioration des habiletés.
Savoir-être : changement dans le sens d'une amélioration de la conscience de ses perceptions, ses valeurs, ses croyances et qui influence les attitudes.

Sensorialité
Ce qui est relatif aux sensations en tant que phénomènes psychophysiques.

Signal d'erreur perceptive
Signe qui se produit dans le cerveau et qui a pour fonction de signifier un écart entre ce qui est souhaité par l'individu (son besoin) et ce que lui fournit l'environnement. L'erreur perceptive entraîne une réaction du système de comportements. *Erreur perceptive. *L'acte intérieur.*

Signification
La valeur et le sens attribués aux différents éléments du vécu.

Subjectivité
Ce qui a trait aux impressions, aux sentiments personnels de chaque individu.

Station de comparaison
Lieu (dans la théorie de Glasser) qui permet d'établir des ressemblances et des différences entre ce qui est inscrit dans la tête de la personne et ce que lui fournit l'environnement.

Structures de contrôle
Système de représentations et d'organisation des connaissances, des habiletés et des attitudes disponibles dans l'esprit de l'apprenant et qui lui permet d'apprendre et d'acquérir de nouveaux apprentissages. *Structure cognitive, structure affective.*

Style cognitif
Manière personnelle et distincte que préfère l'individu lorsqu'il aborde un apprentissage. Le style cognitif colore la façon de penser, d'apprendre, d'organiser et de traiter l'information. *Syn.* : style d'apprentissage, profil d'apprentissage.

Système de perception
Ensemble qui englobe les récepteurs sensoriels (vue, ouïe, etc.) et qui interprète ce que nous ressentons.

Système de réorganisation
Ensemble de comportements nouveaux et combinés qui tente de réduire de façon énergique le signal d'erreur perceptive perçue par l'apprenant.

Système de réorientation
Ensemble de comportements qui par un processus réfléchi, efficace et ingénieux cherche à réduire stratégiquement l'erreur perceptive.

Système sensoriel
Type de représentation privilégié par l'individu lorsqu'il reçoit une stimulation provenant de l'environnement.

Visualisation
Fabrication volontaire d'une série d'images utilisant comme référentiel les éléments mnémoniques acquis antérieurement auxquels peuvent s'ajouter des éléments supplétifs de l'imagination.

BIBLIOGRAPHIE

ANGERS, Pierre, BOUCHARD, Colette, *L'activité éducative, de l'expérience à l'intuition*, Éd. Bellarmin, Montréal, 1985.

ASSAGIOLI, Roberto, *Psychosynthèse*, Éd. Épi, Paris, 1976.

BANDLER, Richard, GRINDER, John, *Les secrets de la communication*, Éd. Le Jour, Montréal, 1982.

BERNARD, Huguette, CYR, Jean-Marc, FONTAINE, France, *L'apprentissage expérientiel*, Service pédagogique de l'Université de Montréal, 1985.

BERNARD, Jean-Louis, *L'apprenant adulte*, Faculté des sciences de l'éducation, Université de Montréal, 1982.

CANTIN, Gabrille, *Une méthode d'intégration des apprentissages*, Faculté des sciences de l'éducation, Université de Montréal, 1979.

CAYROL, Alain, « La programmation neuro-linguistique », *Revue Psychologie*, n° 144, février 1982.

CHICHERING, Arthur W., *Experience and Learning, An Introduction to Experiential Learning*, Change Magazine Press, USA, 1977.

CLOUZOT, Olivier, BLOCH, Annie, *Apprendre autrement*, Éd. d'Organisation, Paris, 1981.

CÔTÉ, Christian, « L'utilisation de la programmation neurolinguistique », *Revue Service Social*, Presses Université Laval, Québec, vol. 31, n°s 2 et 3, juillet-décembre 1982.

CÔTÉ, Richard L., *Psychologie de l'apprentissage et enseignement*, Éd. Gaétan Morin, Chicoutimi, 1987.

DE LA GARANDERIE, Antoine, *Les profils pédagogiques*, Éd. Le Centurion, Paris, 1982.

DE LA GARANDERIE, Antoine, *Pédagogie des moyens d'apprendre*, Éd. Le Centurion, Paris, 1982.

FERGUSON, Marylin, *Les enfants du Verseau*, Calman-Lévy, 1980.

FILLOUX, Janine, *Du contrat pédagogique*, Dunod, Paris, 1974.

FERNANDEZ, Julio, *Réussir une activité de formation*, Éd. Saint-Martin, Montréal, 1988.

GABOURY, Placide, *L'homme qui commence*, Éd. de Mortagne, Boucherville, 1981.

GAGNÉ, Robert, *Les principes fondamentaux de l'apprentissage*, Éd. HRW, Montréal, 1976.

GARNEAU, Jean, LARIVEY, Michelle, *L'auto-développement*, Éd. RED inc., Montréal, 1979.

GENDLIN, Eugène, *Une théorie du changement*, Éd. CIM, Montréal, 1975.

GENDLIN, Eugène, *Au centre de soi*, Éd. Le Jour, Montréal, 1982.

GENDLIN, Eugène, *Experiencing and the Creation of Meaning*, The Free Press of Glencœ, 1962.

GODEFROY, Christian H., *La dynamique mentale*, Éd. Robert Laffont, Paris, 1976.

GLASSER, William, *États d'esprit*, Éd. Le Jour, Montréal, 1982.

GUIRAO, Miguel, *Anatomie de la conscience*, Éd. Maloine, Paris, 1979.

HESSE, Herman, *Demian*, Éd. Stock, 1974.

HESSE, Herman, *Siddhartha*, Grasset, Coll. Livre de poche, 1952.

KOLB, David, FRY, Ronald, "Toward and Applied Theory of Experiential", in *Theories of Groupe Processes*, Éd. Gary Cooper, London/New York, John Wiley and Sons, 1975.

LEREDE, Jean, *Suggérer pour apprendre*, PUQ, Québec, 1980.

LEREDE, Jean, *Les troupeaux de l'Aurore*, Éd. de Mortagne, Boucherville, 1980.

MORIN, Edgar, *Le paradigme perdu : la nature humaine*, Éd. du Seuil, Paris, 1973.

NOISEUX, Gilles, *Modélisation de la dynamique d'apprentissage*, texte inédit, janvier 1984.

NOISEUX, Gilles, « L'expérience d'apprentissage et l'acte pédagogique », *Prospectives*, vol. 21, n° 1, février 1985.

NOISEUX, Gilles, *La sophropédagogie*, conférence prononcée au IIIe Congrès mondial de sophrologie, Bogota, août 1982.

OUELLET, André, *Processus de recherche, une approche systémique*, PUQ, Québec, 1981.

PARÉ, André, *Créativité et pédagogie ouverte*, Éd. NHP, Laval, 1977.

PARÉ, André, *Le journal instrument d'intégrité personnelle et professionnelle*, Centre d'intégration de la personne de Québec inc., Québec, 1984.

PARÉ, André, AUCLAIR, Mona, « Vidéoscopie, visualisation pédagogique », *Recherches psychopédagogiques*, vol. 2, n° 1, hiver 1989, pp. 30-41.

PAVIO, A., *Imagery and Verbal Process*, Éd. Holt, Rinechart et Winston, New York, 1971.

PIAGET, Jean, *La prise de conscience*, PUF, Paris, 1974.

PINEAU, Gaston, MARIE-MICHÈLE, *Produire sa vie : autoformation et autobiographie*, Éd. Saint-Martin, Montréal, 1983.

SAFERIS, Fanny, *Une révolution dans l'art d'apprendre*, Éd. Robert Laffont, Paris, 1978.

SAINT-ARNAUD, Yves, *La personne qui s'actualise*, Éd. Gaétan Morin, Chicoutimi, 1982.

SAINT-ARNAUD, J. Yvon, *L'accueil intégral de l'autre*, Éd. Institut de promotion à la relation interpersonnelle (IFOR), Bruxelles, 1985.

SHAMES, Richard, STERIN, Chuck, *Comment utiliser sa force mentale*, Stanké, Montréal, 1979.

SMITH, Frank, *La compréhension de l'apprentissage*, Éd. HRW, Montréal, 1979.

STEINAKER, N.W., BELL, R., *The Experiential Taxonomy*, Academic Press, New York, 1979.

VILLENEUVE, Louise, *Les conditions internes et les événements externes produisant le processus d'intégration des apprentissages dans un contexte de supervision*, Faculté des Sciences de l'Éducation, Université Laval, Québec, mars 1987.

WATZLAWICK, Paul, *Le langage du changement*, Éd. du Seuil, Paris, 1978.

LISTE DES FIGURES, DES TABLEAUX ET DES OUTILS

Figures

Tableaux

Outils de la phase 1 : motivation et disponibilité

- Guide méthodologique pour l'élaboration des objectifs d'apprentissage
- Questionnaire pour l'élaboration des objectifs d'apprentissage
3. Exercice de centration pour favoriser le choix d'un objectif d'apprentissage **114**
   - But
   - Lien avec les outils proposés
   - Consignes
   - Exercice
4. Formulation du contrat d'apprentissage **116**
   - But
   - Lien avec les outils proposés
   - Consignes
   - Contrat d'apprentissage

Outils de la phase 2 : exposition

5. Relaxation **119**
   - Recommandations
   - Lien avec les outils proposés
   - Consignes
   - Exercice de relaxation de courte durée
   - Variante d'un exercice de relaxation de courte durée
   - Exercice de relaxation : observation de l'état corporel
   - Variante d'une détente corporelle
6. Savoir repérer les signaux d'erreur perceptive **122**
   - But
   - Consignes
   - Exercice sur les signaux d'erreur perceptive
7. Visualisation sur le concept de l'autorité intérieure **124**
   - But
   - Lien avec les outils proposés
   - Consignes
   - Exercice de visualisation sur l'autorité intérieure
   - Questionnaire pour favoriser l'échange
8. Styles d'autorité et leur influence sur les apprenants **127**
   - But
   - Liens avec les outils proposés
   - Consignes
   - Conte
   - Discussion sur le conte

TABLE DES MATIÈRES

1

LE PROCESSUS D'APPRENTISSAGE

2

LE PROCESSUS D'INTÉGRATION DES APPRENTISSAGES

3

LA COMPLEXITÉ DU PROCESSUS D'APPRENTISSAGE

4

LES INDICATEURS DES CONDITIONS INTERNES

5

LES INDICATEURS DES ÉVÉNEMENTS EXTERNES

6

LE COFFRE À OUTILS

CONCLUSION